ENZYKLOPÄDIE
DEUTSCHER
GESCHICHTE
BAND 12

mit freundlichen Grüßen

H. R. Schmidt

ENZYKLOPÄDIE
DEUTSCHER
GESCHICHTE
BAND 12

HERAUSGEGEBEN VON
LOTHAR GALL

# KONFESSIONALISIERUNG IM 16. JAHRHUNDERT

VON

HEINRICH RICHARD SCHMIDT

R. OLDENBOURG VERLAG
MÜNCHEN 1992

Die Deutsche Bibliothek – CIP-Einheitsaufnahme

**Enzyklopädie deutscher Geschichte** / hrsg. von Lothar Gall in Verbindung mit Peter Blickle ... – München : Oldenbourg.

ISBN 3-486-53691-5
NE: Gall, Lothar [Hrsg.]

Bd. 12. Schmidt, Heinrich Richard: Konfessionalisierung im 16. Jahrhundert. – 1992

**Schmidt, Heinrich Richard:**
Konfessionalisierung im 16. Jahrhundert / von Heinrich Richard Schmidt. – München : Oldenbourg, 1992
(Enzyklopädie deutscher Geschichte ; Bd. 12)
ISBN 3-486-55038-1 Gb.
ISBN 3-486-55037-3 brosch.



Umschlaggestaltung: Dieter Vollendorf, München

Gesamtherstellung: R. Oldenbourg Graphische Betriebe GmbH, München

ISBN 3-486-55038-1 geb.
ISBN 3-486-55037-3 brosch.

# Vorwort

Die „Enzyklopädie deutscher Geschichte" soll für die Benutzer – Fachhistoriker, Studenten, Geschichtslehrer, Vertreter benachbarter Disziplinen und interessierte Laien – ein Arbeitsinstrument sein, mit dessen Hilfe sie sich rasch und zuverlässig über den gegenwärtigen Stand unserer Kenntnisse und der Forschung in den verschiedenen Bereichen der deutschen Geschichte informieren können.

Geschichte wird dabei in einem umfassenden Sinne verstanden: Der Geschichte der Gesellschaft, der Wirtschaft, des Staates in seinen inneren und äußeren Verhältnissen wird ebenso ein großes Gewicht beigemessen wie der Geschichte der Religion und der Kirche, der Kultur, der Lebenswelten und der Mentalitäten.

Dieses umfassende Verständnis von Geschichte muß immer wieder Prozesse und Tendenzen einbeziehen, die säkularer Natur sind, nationale und einzelstaatliche Grenzen übergreifen. Ihm entspricht eine eher pragmatische Bestimmung des Begriffs „deutsche Geschichte". Sie orientiert sich sehr bewußt an der jeweiligen zeitgenössischen Auffassung und Definition des Begriffs und sucht ihn von daher zugleich von programmatischen Rückprojektionen zu entlasten, die seine Verwendung in den letzten anderthalb Jahrhunderten immer wieder begleiteten. Was damit an Unschärfen und Problemen, vor allem hinsichtlich des diachronen Vergleichs, verbunden ist, steht in keinem Verhältnis zu den Schwierigkeiten, die sich bei dem Versuch einer zeitübergreifenden Festlegung ergäben, die stets nur mehr oder weniger willkürlicher Art sein könnte. Das heißt freilich nicht, daß der Begriff „deutsche Geschichte" unreflektiert gebraucht werden kann. Eine der Aufgaben der einzelnen Bände ist es vielmehr, den Bereich der Darstellung auch geographisch jeweils genau zu bestimmen.

Das Gesamtwerk wird am Ende rund hundert Bände umfassen. Sie folgen alle einem gleichen Gliederungsschema und sind mit Blick auf die Konzeption der Reihe und die Bedürfnisse des Benutzers in ihrem Umfang jeweils streng begrenzt. Das zwingt vor allem im darstellenden Teil, der den heutigen Stand unserer Kenntnisse auf knappstem Raum zusammenfaßt – ihm schließen sich die Darlegung und Erörterung der Forschungssituation und eine entsprechend gegliederte Auswahlbibliographie an –, zu starker Konzentration und zur Beschränkung auf die zentralen Vorgänge und Entwicklungen. Besonderes Gewicht ist daneben, unter Betonung des systematischen Zusammenhangs, auf die Abstimmung der einzelnen Bände untereinander, in sachlicher Hinsicht, aber auch im Hinblick auf die übergreifenden Fragestellungen, gelegt worden. Aus dem Gesamtwerk lassen sich so auch immer einzelne, den jeweiligen Benutzer besonders interessierende Serien zusammenstellen. Ungeachtet dessen aber bildet jeder Band eine in sich abgeschlossene Einheit – unter der persönlichen Verantwortung des Autors und in völliger Eigenständigkeit gegenüber den benachbarten und verwandten Bänden, auch was den Zeitpunkt des Erscheinens angeht.

Lothar Gall

# Inhalt

FÜR THOMAS

# Vorwort des Verfassers

Dieses Büchlein trägt einen anderen als den ursprünglich vorgesehenen Titel. Statt „Konfessionelle Institutionalisierung“ heißt es nun schlicht, wenn auch weiterhin ein wenig dunkel, „Konfessionalisierung“. Man kann nun den Titel aussprechen, ohne sich die Zunge zu verknoten. Die Veränderung hat aber nicht nur phonetische Gründe. Sie ist in zweiter Linie eine dankbare Erinnerung an einen alten Deutschlehrer, der uns Mitgefühl für so arme Gestalten wie „frisch gepreßte Safthändler“ beigebracht hat. Aber warum nicht einfach „Institutionalisierung der Konfessionen“? Weil es um die nicht in erster Linie geht. Es sind also auch inhaltliche Gründe, die eine Titelkorrektur nahegelegt haben. Der Begriff „Konfessionalisierung“ soll einen Prozeß bezeichnen, der seit der Reformation abgelaufen ist und die Menschen, die im damaligen Deutschen Reich lebten – und nicht nur hier -, zu Angehörigen verschiedener Konfessionen machte, und zwar in dem Sinne, daß diese Konfession zu einem Teil der alltäglichen wie der außeralltäglichen Kultur der Menschen wurde, bevor die Aufklärung einsetzte und das als Unmündigkeit brandmarkte. Die Beschränkung auf das 16. Jahrhundert wird deshalb ab und zu durchbrochen, um längere Linien sichtbar zu machen. Räumlich gesehen bleiben die Schweiz und die Niederlande unberücksichtigt, weil sie faktisch nicht mehr zum Reich gehörten. Österreich dagegen spielt selbstverständlich eine wichtige Rolle in diesem Buch – besonders bei der Gegenreformation, die aus dem halbprotestantischen das katholische Land gemacht hat.

Diese Formierungsprozesse, in deren Verlauf Abweichungen ausgemerzt, Dissidenten aus dem Land getrieben, soziale Disziplin eingeübt und aufgezwungen wurde, stellen im historischen Rückblick einen Vorgang der Rationalisierung dar, wie ihn MAX WEBER für die Weltgeschichte behauptet und mit dem Protestantismus besonders eng verbunden hat. In der Epoche der Konfessionalisierung wird der Grund für die heutige „rationale“ Welt gelegt, ohne daß das die Absicht gewesen wäre. Ging es den Zeitgenossen doch viel eher darum, Gott gefällig zu sein oder seinen Zorn nicht auf sich und das Land zu ziehen, oder einfach darum, die Strafe des Staates und der Kirche zu vermeiden. Darin liegt die „Kulturbedeutung“ der Konfessionalisierung.

Mein Dank geht an alle, die mir geholfen oder die Arbeit ein wenig leichter gemacht haben, Konrad Zuse für seine bahnbrechenden Leistungen, ohne die es Computer heute nicht gäbe, unmittelbarer aber anderen: Anton Schindling hat mir die Fahnen von Band 2 seines Handbuches über die Territorien in der Konfessionalisierung zugänglich gemacht. Luise Schorn-Schütte hat mir ihren Beitrag an der Tagung über die lutherische Konfessionalisierung zugeschickt. Mitarbeiter in der Schweizerischen Landesbibliothek und im Historischen Institut der Universität Bern, besonders Hanspeter Oprecht und Therese Meier, haben Dank verdient für die waggonweise Heranschaffung von Literatur, Freunde im Institut für Europäische Geschichte Mainz für die Unterstützung beim Beschaffen von Titeln, die in der Schweiz nicht zu erhalten waren, Herr Waldmann von der Uni-Bibliothek in Bern für seine Datenbank-Recherche. Nicht zuletzt gilt mein ausdrücklicher Dank Rainer Schwinges, der mir ermöglicht hat, während einer interimistischen Tätigkeit als Mittelalter-Assistent an dem Band zu arbeiten. Die Hochschulstiftung Bern hat die Zeit der Endredaktion mit einem Stipendium erleichtert. Peter Blickle hat das Manuskript kritisch durchgesehen, Herr Dieckmann hat sich durch seine Lektoratsarbeit Verdienste erworben.

In einer Familie ist eine solche Produktion irgendwie Gemeinschaftsarbeit. Meine Frau hat als erste Leserin auch die erste Kritik geäußert, meine Kinder haben ein wenig unter dem computerisierten Vater gelitten. Das ist nun vorbei. Widmen möchte ich diesen Band meinem kleinen Sohn Thomas, der durch seine Aufforderung mitzuspielen den Ernst der Arbeit erleichtert hat.

# I. Enzyklopädischer Überblick

Bevor ein Gespräch über „Konfessionalisierung“ zustandekommen kann, muß zumindest ein vages Vorverständnis bestehen, was dieses Wort denn überhaupt bedeutet. Dieses Buch folgt einer viel zitierten Definition ERNST WALTER ZEEDENS, Konfessionalisierung sei „die geistige und organisatorische Verfestigung der seit der Glaubensspaltung auseinanderstrebenden christlichen Bekenntnisse zu einem halbwegs stabilen Kirchentum nach Dogma, Verfassung und religiös-sittlicher Lebensform“ [99: Entstehung der Konfessionen, 9 f.]. Verfestigung, Durchsetzung, Formierung – alle diese Wörter, die im Zusammenhang mit der Konfessionalisierung immer wieder erwähnt werden, benennen Prozesse, Vorgänge, Veränderungen. Konkret geht es hier um den Prozeß einer Formierung von Konfessionskirchen, um den Aufbau lutherischer, katholischer und reformierter Kirchentümer. Er vollzieht sich auf dem Gebiet der Dogmatik, auf dem der Organisation und durch die inhaltliche Verwirklichung des geglaubten jeweiligen Christentums im Alltag der betroffenen Staatswesen, Kirchen und Kirchenvölker. Eben diese Trias von Staat, Kirche und Volk ist gemeint, wenn von „Kirchentümern“ die Rede ist. Gegenüber der ZEEDENschen Definition ist jedoch im Blick auf das vorliegende Büchlein eine Einschränkung nötig: Es wird sich kaum mit den Dogmen befassen. Wie die EDG insgesamt stellt auch dieser Band die historischen Aspekte in den Vordergrund. Er folgt damit zugleich den Leitlinien der aktuellen Diskussion, in der die „Konfessionalisierung“ immer stärker als sozialgeschichtliche Erscheinung gewürdigt wird. Das Dogma bildet den Gegenstand der theologischen Kirchengeschichtsschreibung. Ihr bleibt es überlassen. Im folgenden geht es also einerseits um die Probleme einer organisatorischen „Institutionalisierung“ der Konfessionen, andererseits um die Versuche, Konfession zu einer den Alltag der betroffenen Menschen gestaltenden „Lebensform“ zu machen. Alltagsgeschichte ist dies insofern, als Alltag thematisiert wird, Verfassungsgeschichte insofern die rechtlichen und organisatorischen Grundlagen in den Blick genommen werden. Vor allem aber versucht diese Abhandlung, Konfessionsgeschichte als Sozialgeschichte zu fassen

Konfessionalisierung

Erkenntnisinteresse des Buches

und einen Überblick über die Forschung von eben diesem Standpunkt aus zu geben.

# A. Das Reich

Konfessionalisierung vollzieht sich in Territorien

Die Konfessionalisierung im 16. Jahrhundert hat sich in den Territorien abgespielt. Sie hat die typisch deutsche Verbindung von Land und Kirche gestiftet, durch die der Reisende an den Grenzen der Fürstentümer nicht nur Zoll-, sondern häufig auch Glaubensschranken zu spüren bekam. Die vorliegende Darstellung möchte einen Überblick über die konfessionellen Kirchentümer im Deutschen Reich geben, ihre Entwicklung, ihre Struktur und ihre Wirkungen thematisieren. Sie kann dabei das Reich als ganzes weitgehend ausblenden und sich den territorialen Einheiten zuwenden, in denen die Konfessionalisierung stattgefunden hat. Sie unterscheidet sich damit von vielen Handbüchern, die die nachreformatorische Zeit als Reichsgeschichte darstellen. Dabei verkennt sie keineswegs, daß die Reichsgeschichte die Rahmenbedingungen für die Fürsten und Städte bereitgestellt hat, ohne die deren Politik eine andere Richtung genommen hätte.

Die Konfessionalisierung begann in der Reformationszeit. Der Reichstag in Speyer 1526 stellte es jedem Reichsstand frei, in Fragen der Religion so zu handeln, wie er es vor Gott und Kaiser verantworten könne. Damit war der Grundsatz, jeder Reichsstand bestimme seine Konfession selber, präformiert, der 1555 im Augsburger Religionsfrieden zum Reichsgrundgesetz wurde. Die Reichstage von 1529 und 1530 sahen die „Protestanten“ bereits als eine zusammenhängende Gruppe von Fürsten und Städten, die nicht mehr auf dem Boden der alten Kirche standen und das öffentlich bekannten. Mit den Altgläubigen zusammen verurteilten sie die radikalen rigoristischen Täufer und die Zwinglianer, die seitdem nicht mehr im Reich geduldet wurden, sondern der Verfolgung anheimfielen. Die lutherischen Protestanten organisierten sich in einem Bündnis, das der Verteidigung ihres Bekenntnisses dienen sollte (Schmalkaldischer Bund).

Schmalkaldischer Bund der Lutheraner

Gegen den Schmalkaldischen Bund führte der Kaiser einen

vordergründig als Reichsexekution wegen eines Verfassungsbruchs getarnten Religionskrieg. Sein Sieg im Schmalkaldischen Krieg 1547 verschaffte Kaiser Karl V. für kurze Zeit die Handhabe, die Glaubensfrage auf dem Weg des Oktroi im Sinne der alten Kirche zu entscheiden, wie er das in seinem Bekenntnis von 1521 zur Maxime erhoben und im Wormser Edikt vergeblich versucht hatte. In den oberdeutschen Reichsstädten setzte er oligarchische Stadträte an die Stelle der Zunftregimente und löste die Zünfte als politische Gremien auf, weil er ihrem „demokratischen" Geist die Schuld für die Anfälligkeit der Städte gegenüber der lutherischen Lehre gab. Während sich diese Verfassungsänderungen mit wenigen Ausnahmen (Reutlingen z.B.) bis zum Ende des Alten Reiches behaupten konnten, war dem Interim nur eine kurze Lebensspanne beschieden. Das Interim vom 30. Juni 1548 war ein Sondergesetz gegen die Protestanten. Es gestattete ihnen zwar, das Abendmahl unter Brot und Wein zu empfangen, und erlaubte die Heirat von Geistlichen, machte aber ansonsten die katholische Lehre und Hierarchie für die Evangelischen verbindlich. Ratskörperschaften und Landesherren waren weniger widerstandsbereit als die evangelische Geistlichkeit und die in Zünften organisierten Bürgerschaften. In süddeutschen Reichsstädten wie Augsburg, Ulm, Hall, Straßburg, Nürnberg und in Fürstentümern wie Brandenburg-Ansbach und Württemberg wurden die evangelischen Pfarrer entlassen, während Norddeutschland – kaiserferner – sich vielfach dem Interim widersetzen konnte. Den heftigsten Widerstand leistete die kurmainzische Landstadt Magdeburg, die dafür eine seit 1547 andauernde Belagerung aushielt.

Interim

Gegen die absolutistischen Neigungen des Kaisers formierte sich jedoch rasch eine überkonfessionelle Fürstenallianz, die den völlig überraschten Karl V. militärisch besiegte und zur Flucht zwang. Im Passauer Vertrag von 1552 einigten sich die Stände und der deutsche König Ferdinand, das Interim aufzuheben. Einen passablen Modus vivendi stiftete schließlich der Augsburger Religionsfrieden von 1555 [41: HECKEL, Deutschland, 45-66]. Schlagwortartig lauten seine wichtigsten Bestimmungen:

Augsburger Religionsfrieden 1555

- Alle Stände alten oder lutherischen Glaubens verzichten gegenseitig auf Gewalt (Friedstand, Gewaltverzicht). Damit wird der Reichslandfriede auf den religiösen Bereich, in dem ihm durch das Ketzerrecht eine Schranke gesetzt worden war, ausgedehnt.

- Jede Obrigkeit außer geistlichen Fürsten („Geistlicher Vorbehalt") darf die Konfession ihres Landes frei bestimmen („cuius regio, eius religio“). Städte mit katholischen Minderheiten haben kein Reformationsrecht („Paritätische Städte“).

- Einziehungen der Güter von nicht reichsunmittelbaren kirchlichen Instanzen sind rechtens.

- Das Geistliche Gericht über protestantische Gebiete wird sistiert. Die protestantischen Landesherren übernehmen die Kirchenaufsicht selber.

- Die Untertanen erhalten in Glaubensfragen das Recht der Auswanderung. Diese Freiheit wurde in der Praxis jedoch durch die Pflicht, sich von den alten herrschaftlichen Verbindlichkeiten (Leibeigenschaft) freizukaufen, massiv eingeschränkt.

- Der Frieden gilt definitiv, aber nur vorläufig, bis die Religionsspaltung behoben sein wird. Die Wahrheitsfrage wird aus dem Friedensabkommen ausgeklammert.

Rechtsgarantie für lutherische Reformation

Während das Reich auf seine Glaubenseinheit verzichtete, verfügte es die konfessionelle Geschlossenheit in den Territorien der einzelnen Reichsstände. Die Lutheraner, allerdings keine andere protestantische Konfession, genossen seitdem den Schutz des Reichsrechts. Die Reformation war nun rechtens. Der Augsburger Religionsfriede sicherte einerseits eine längst weit vorangeschrittene Verankerung der lutherischen Kirche in einer Reihe von Ländern und Städten. Andererseits wagten nun viele Fürsten und kleinere Reichsstände, die bisher vor dem entscheidenden Schritt zurückgeschreckt waren, den Übergang zum Protestantismus und die Errichtung eines evangelischen Kirchentums.

Geistlicher Vorbehalt

Der Geistliche Vorbehalt stützte aber auch die Reste der geistlichen Fürstentümer, indem er ihnen die Reformation untersagte. Zwar konnte nicht verhindert werden, daß einige mittel-, nord- und nordostdeutsche Fürstbistümer (Magdeburg, Bremen, Verden, Minden, Halberstadt, Lübeck) evangelisch wurden, doch blieben die westfälischen Bistümer Münster und Paderborn, blieben Kurköln, Mainz, Trier und die Fürstbistümer im Süden dem Katholizismus erhalten.

# B. Lutherische Kirchentümer

## 1. Entstehung

### *1.1 Magistratsreformationen*

Die Städte, schon früh Zentren der reformatorischen Bewegung, spielten auch bei der staatlichen Umsetzung der Reformation eine Vorreiterrolle.

Die Bedingungen, unter denen alle Städte handeln mußten, werden überraschenderweise an einer kleinen, für die Geschichte der Konfessionalisierung sonst unwichtigen Reichsstadt wie Wimpfen besonders deutlich sichtbar, weil hier äußere Zwänge eher zu Veränderungen führten als in großen Städten, die sich ihnen entgegenstellen konnten. Wenn man sich bewußt bleibt, daß die autochthone Konfessionalisierung, die aus innerem Antrieb und auch gegen Störungen und Bedrängnisse von außen sich verwirklichte, in großen Städten mächtiger wirkte und wesentlich früher als in Wimpfen zu einer formierten Gesellschaft führte, kann diese kleine Reichsstadt mit Gewinn betrachtet werden: Auf eine heftige evangelische Bewegung Anfang der 1520er Jahre folgte, verursacht durch das Scheitern des Bauernkriegs, ein Rückschlag in Richtung alte Kirche. Die evangelische Minderheit mußte im Interim die völlige Rückkehr zum Katholizismus hinnehmen. Es gelang ihr jedoch in den Anfangsjahren der Regierung Kaiser Maximilians II., die Anstellung evangelischer Prediger zu erreichen. 1564-1566 kippten die Mehrheiten in Rat und Bürgerschaft, eine stürmische Protestantisierung begann, die 1589 mit der Beseitigung katholischen Gottesdienstes ihren Abschluß fand und in eine intolerante, streng lutherische Kirche mündete [152: ENDRISS, Phasen]. Einige Erkenntnisse aus diesem kondensierten Überblick lassen sich über Wimpfen hinaus verallgemeinern:

Wimpfen exemplarisch

1. Die Niederlage der Bauern wirkte als retardierendes Moment, das die evangelische Bewegung deutlich bremste oder sogar zu einer Rekatholisierung führte. Die evangelische Bewegung endete aber nicht 1525, sondern blieb stark, verlor „lediglich" ihren revolutionären Schwung. Die wenigen Nachrichten aus Visitationen unmittelbar nach dem Bauernkrieg zeigen, daß die Stimmung proevangelisch geblieben war.

Bauernkrieg retardierendes Moment

2. Das Interim brachte einen zweiten schweren Rückschlag für die neue Lehre.

3. Der Passauer Vertrag 1552 und der Augsburger Religionsfrieden von 1555 wirkten allmählich im Sinn einer Öffnung der protestantischen Option, die dann – wenn sie gewählt wurde – zu einer konfessionellen Abschließung führte.

4. Die relative konfessionelle Toleranz in gemischten Städten endete erst kurz vor 1600. Der Prozeß der Konfessionalisierung war dann Mitte des 17. Jahrhunderts abgeschlossen.

Verobrigkeitlichung

5. Als durchgehender Zug erweist sich die „Verobrigkeitlichung": Der Rat gewann ein regelrechtes Kirchenregiment, mit dem er das religiös-sittliche Leben seiner Kontrolle unterwarf.

Die beiden durch den Bauernkrieg und das Interim bewirkten Zäsuren lassen sich auch anderswo beobachten: Einen sogar völligen Rückschlag erlitt die evangelische Bewegung nach 1525 in Schwäbisch-Gmünd, Colmar, Schlettstatt. Die zuvor geduldeten evangelischen Minderheiten wurden in Weil der Stadt (1590) und Gmünd (1576) einer Rekatholisierungspolitik unterworfen oder unterdrückt.

späte Reformationen

Aber auch die befreiende Wirkung des Augsburger Religionsfriedens macht sich durchgehend bemerkbar, obwohl streckenweise schon die Existenz des Schmalkaldischen Bundes eine Rückendekkung für eine Einführung der Reformation geboten hatte. Zum Teil wurde eine Entwicklung wieder aufgenommen, die 1525 abgebrochen war: Rothenburg trat 1544 zur Reformation über, Bopfingen 1546; in Ravensburg fand 1544 die erste lutherische Predigt statt, 1545 wurde die Reformation durchgeführt, in Leutkirch erzwang Aufruhr in der Bürgerschaft 1546 eine evangelische Kirche, Aalen trat 1575 trotz einer altgläubigen Zwei-Drittel-Mehrheit in der Bürgerabstimmung zur Reformation über, Hagenau tat dies 1565; späte Reformationen erlebten auch Dortmund, Mühlhausen i.Th. und Colmar.

Interim z.T. spät abgeschafft

Die Verunsicherung durch die Katastrophe des Schmalkaldischen Krieges und die massiven Eingriffe des Kaisers in die städtische Autonomie wirkten heftig nach: Das Interim wurde langsam und spät beseitigt in Memmingen (1562-1565), Kempten (1552-1561), Leutkirch (1559-1562, Pfarrkirche katholisch), Lindau (1552), Isny (1552), Ravensburg (1561 Annahme der Augsburgischen Bekenntnisschrift, paritätisch), Bopfingen (1552-1555), Rothenburg (1553); Straßburg, auch Hall, Heilbronn, Esslingen und Ulm waren sehr vorsichtig bei der Abschaffung des Interims (Hall: 1554-1559), der letzte Interimspfarrer im Haller Landgebiet wurde 1563 ersetzt, Ulm verfuhr so 1556, 1569 entzog der Rat dem katholischen Gottesdienst in der Barfüßerkirche seine Unterstützung.

Weniger von den Ereignissen um Bauernkrieg und Schmalkaldischen Krieg berührt waren die kaiserfernen Gebiete im Norden. Hansestädte waren in der Regel landesherrliche Städte, die jedoch einen hohen Grad an Autonomie aufwiesen, den sie mit Hilfe einer Reformation gegen den Willen des Landesherrn weiter ausbauten [312: SCHILLING, Konfessionskonflikt, 138 f.]. Der Ablauf der Reformation in den Hansestädten ähnelt stark dem der Reichsstädte: Bürgeropposition erzwang die evangelische Predigt und schließlich die Institutionalisierung einer evangelischen Kirche, schuf dabei aber ungewollt dem Rat neue obrigkeitliche Gewalt, ohne sich selbst – trotz eines teilweisen Austauschs der Eliten – bleibenden Einfluß sichern zu können. Diesem Typus folgen Hamburg (wo sich die Bürgeropposition allerdings institutionellen Einfluß sicherte), Lemgo (1530-34), Hannover (1533), Braunschweig (1528), Göttingen (1529), Lüneburg (1529/30).

Typus „Hansestadt-Reformation“

Die Landstädte ohne politische Eigenständigkeit erreichten dann, wenn sie einem schwachen Landesherrn gegenüberstanden, eine ähnliche Position wie Hanse- oder Reichsstädte. In den westfälischen Landstädten z.B. konnte sich die Reformation, „wo das Gildenbürgertum stürmisch zu den Neuerungen drängte, nur ‚von unten‘ gegen harten Widerstand der Patrizier, des konservativen Magistrats, von Teilen der altgläubigen Geistlichkeit und vor allem der Landesherren von Kleve und Lippe durchsetzen“ [54: SCHRÖER, Reformation 1, 499]. Besonders stark waren die Städte in den geistlichen Hochstiften [weltliche Herrschaftsbezirke der Bischöfe, nicht deckungsgleich mit dem geistlichen Bereich, dem Bistum]. Seit Mitte der 1520er Jahre verbanden sich hier soziale und religiöse Reformation. In Paderborn, Soest, Minden und Münster organisierten sich Handwerker in Bürgerausschüssen und erzwangen wie die Bürgeropposition in Osnabrück, Herford (1532), Höxter (1533) und dem kurkölnischen Werl (1547) die Reformation – gegen die städtische und territoriale Obrigkeit.

Landstadtreformation

Alle Stadtreformationen wurden offiziell durch den städtischen Rat „eingeführt“. Die Verwaltung der neuen Kirche ging in seine Kompetenz über. Damit verschaffte die Reformation der städtischen Obrigkeit neue Aufgabenbereiche (Kirche, Armenversorgung, Schule, Eherecht) und neue Verwaltungseinrichtungen. Insgesamt steigerte sie seine Macht. Dennoch führten die städtischen Reformationen nicht zu reinen Magistratskonfessionalisierungen. Die Tatsache, daß die neue Kirche nicht reine Obrigkeitskirche wurde, wird häufig unterbewertet. Deshalb können Informationen aus der Geschichte der nachreformatorischen Stadt helfen, die gängige Einseitigkeit zu korrigieren. Die neue Arbeit von TILMAN MATTHIAS SCHRÖDER über Esslingen will in Vollstreckung dieses Vorurteils die „Entmündigung der Gemeinde" [194: Esslingen, 11] als Grundtendenz der deutschen Stadtgeschichte beweisen. Obwohl auch in Esslingen der Rat zunächst eine altgläubige Politik vertreten hatte und erst von der evangelischen Bewegung in der Bürgerschaft zu einem Kurswechsel gezwungen worden war, gelang es ihm, im Zuge der reformatorischen Maßnahmen seine obrigkeitliche Gewalt zu stärken: Die Kirchenordnung von 1534 band dann die einmal geschaffene evangelische Kirche in die bestehende Verwaltung ein. Die ursprüngliche, wenn auch schwache Beteiligung der Gemeinde bzw. der Zünfte an der Kirchen- und Sittenaufsicht wurde wieder beseitigt und das Ehegericht wie das Zuchtamt dem Magistrat unterstellt, in dem der Geheime Rat immer stärker zur eigentlichen Regierungsinstanz wurde. Die Zucht nahm der Rat in Fortentwicklung seiner spätmittelalterlichen Sittenpolicey wahr. Auch der Kirchenbann wurde unter die Kontrolle des Rates gestellt. SCHRÖDER zeigt aber ungeachtet dessen auch, wie stark die Konfessionalisierung „von unten" ausgehen konnte oder doch eben mit dem Konsens der Betroffenen vollzogen wurde: Die Bürgerschaft war es nicht nur, die die Einführung der Reformation erzwang, sie drängte auch den widerstrebenden Rat zur Abschaffung des Interims. Die rigoristischen Ansprüche der Geistlichkeit blieben besonders dann ein ständiger Unruheherd, wenn es gelang, die Bürger in größerem Maße zu mobilisieren und Druck auf den Rat auszuüben, was noch im Zeitalter des Pietismus der Fall war. Die städtische Gemeinde wird man als einen mitbestimmenden Faktor auch nach der Reformation nicht unberücksichtigt lassen dürfen.

Stadtkirchen mit aktiven Gemeinden

„People's Reformation"

Als „People's Reformation" bezeichnet LORNA JANE ABRAY in ihrer Arbeit über Straßburg diesen Vorgang der Verstaatlichung der Reformation, wobei sie mit dem umfassenden Begriff „Volk" gerade das Zusammen- und Gegeneinanderwirken von Rat, Gemeinde und Predigern erfassen will, aus dem heraus die Reformation und die neue Kirche erst Kontur bekommen. Die Gemeinde spielte weiterhin eine mitentscheidende Rolle. Den Sieg verdankte die „Klerikerreformation" 1598, die die Orthodoxie mitsamt einer strengeren Sittenzucht in der lutherischen Stadt etablierte, der Unterstützung durch die Gemeinde. Der Versuch des Klerus, den Alltag zu sakralisieren, fand also erstaunlicherweise letztlich einen gewissen Widerhall bei den Betroffenen, obwohl sie ansonsten den Ansprüchen, „Perfektion als Standard" zu setzen, abhold waren [137: People's Reformation, 192]. Die Konfessionalisierung als Bewußtsein, lutherisch zu sein und sein zu wollen, war in Straßburg wie vermutlich in allen früh und entschieden reformierten Städten Mitte des Jahrhunderts fest etabliert. Insgesamt wird man also von einem Spannungsverhältnis zwischen Staat, Geistlichkeit und Laien auszugehen haben, in dem wechselnde Koalitionen möglich waren, und die Konfessionalisierung als „Resultante" aus dem Parallelogramm dieser Kräfte interpretieren dürfen.

### *1.2 Fürstenreformationen*

Während die städtischen Reformationen insgesamt von den bürgerlichen Genossenschaften getragen waren und deren Interessen artikulierten, erscheinen die territorialen Reformationen als Fürsten- und Staatsaktionen. Ähnlich wie für den städtischen Bereich, der nur skizziert werden konnte, fehlt trotz einer Reihe von Einzelarbeiten eine vergleichende Darstellung des Kirchenaufbaus im protestantischen Bereich. Bemerkenswert erscheint, daß die Territorien bis in die vierziger Jahre hinein weithin altgläubig waren – zumindest, was die offizielle landesobrigkeitliche Entscheidung betraf. Dabei muß man allerdings davon ausgehen, daß die Bevölkerung partiell aus der alten Kirche herausgewachsen war und z.T. dezidiert evangelische Lehren angenommen hatte, bevor die Obrigkeit sich ihrerseits entschied. Fürstliche Frühreformationen waren eher die Ausnahme: Preußen (nicht zum Reich gehörend, 1525), Kursachsen (1526), Lüneburg (1526/27 – Celler Artikelbuch mit der Funktion einer Kirchenordnung), Hessen (1528 Ablösung der Jurisdiktionsrechte der Mainzer Erzbischöfe im Hitzkirchener Vertrag), Brandenburg-Ansbach (1528, brandenburg-nürnbergische Kirchenordnung 1533). Am Anfang standen hier Kirchen- und Schulvisitationen, die den Bestand an Lehre und Glauben aufnahmen und im Sinn der neuen Lehre korrigierten. Vor 1555 führten dann noch Dithmarschen (1532), Pommern (1534/35), Württemberg (1534), Anhalt (1534), Schleswig und Holstein (1536), Lippe (1538), Kurbrandenburg (1538/1539, Kirchenordnung 1540), Mecklenburg (1534 im Teil Herzog Heinrichs, 1549 definitiv im ganzen Land), das albertinische Sachsen (1539), Calenberg-Göttingen (1540), Wet-

1540er Jahre: altgläubige Reichsständemehrheit

Daten der Fürstenreformation

terauer und westfälische Grafschaften (Bentheim 1543/1544), Hanau-Lichtenberg (1545) und Pfalz-Neuburg (1553) die Reformation ein.

1555 als beschleunigender Faktor

Nach 1555 kamen hinzu: im Südwesten die Markgrafschaft Baden-Pforzheim (später „Baden-Durlach", 1556), Kur- und Oberpfalz (1556), Pfalz-Simmern (1557), die meisten kleineren Gebiete im unteren Elsaß und im Saarraum, die Grafschaft Eberstein und die Herrschaft Geroldseck, weiter östlich Löwenstein, Limpurg, Hohenlohe, Öttingen, Wiesensteig (kurzfristig), Wertheim, dann Braunschweig-Wolfenbüttel als späteste Reformation in Norddeutschland (1568). Häufig bargen zumindest die landesherrlichen Städte reformatorisches Potential, wenn auch nicht durchgehend. Um die Rolle der kleinen Landstädte zu verdeutlichen, genügt die Herrschaft Lahr-Mahlberg, ein Kondominat der Markgrafen von Baden-Baden und der Grafen von Nassau; hier wurde 1558 auf Wunsch des Magistrats von Lahr die Reformation eingeführt und das Lahrer Stift weltlicher Verwaltung unterstellt. Die Reformation setzte sich bis 1567 durch und wurde auch später durch die Baden-Badener Rekatholisierung nicht betroffen. Ähnlich wie in diesem Falle hatte sich auch dort, wo es wie in der Kurpfalz und in Baden-Durlach zunächst keine Reformation gegeben hatte, dennoch eine reformatorische Bewegung entwickelt, die eine der Voraussetzungen für den später vollzogenen Übergang zum Protestantismus bildete. Ebenso blieb in Württemberg die evangelische Bewegung auch unter der österreichischen Herrschaft, die bis 1534 dauerte, stark und virulent, so daß alle gegenreformatorischen Versuche scheiterten.

Basis: Sympathien für neue Lehre in der Bevölkerung

Große Teile Schlesiens und fast alle Bistümer östlich der Weser wandten sich der Reformation zu. Die nicht reichsunmittelbaren Bistümer integrierten sich in den Verband weltlicher Fürstentümer: Kamin im Herzogtum Pommern (1556), Ratzeburg (1554) und Schwerin (1568) in Mecklenburg, Meißen (1581), Naumburg (1564) und Merseburg (1561) kamen an Kursachsen; Kurbrandenburg gewann Havelberg, Lebus und Brandenburg (alle 1571) und die Anwartschaft auf Magdeburg, wo 1561 Erzbischof Sigismund die Reformation einführte, ohne auf Amt und Würden zu verzichten. Die Reichsbistümer Bremen, Verden, Halberstadt und Minden standen fast immer unter der Regierung benachbarter evangelischer Fürstenhäuser.

Übernahme von Bistümern

Die Schubkraft des Augsburger Religionsfriedens für den Übergang von Territorien zur Reformation ist deutlich spürbar. Wirksam werden konnte sie nur, weil der Elan der evangelischen

Bewegung im Volk während der dreißiger und vierziger Jahre nicht völlig erlahmt war.

Eine Ausnahme von der allgemeinen Regel stellen Mark und Ravensberg dar. Zwar ließen die Herzöge von Kleve die Reformation nicht zu, sie duldeten aber die selbständige Entfaltung eines evangelischen Kirchentums „von unten", das sich auf die örtlichen Behörden stützte und vom Ortsklerus geführt wurde; jedoch beschränkte sich die „Reformation" mancherorts auf Laienkelch, Priesterehe und evangelische Kirchenlieder, für die die Jugend eine Vorliebe gehabt zu haben scheint. Des konfessionellen Charakters dieser Praktiken wurden die Betroffenen dabei nicht unbedingt gewahr. Erst die Synode von Unna 1612 leitete dann den Prozeß der Konfessionalisierung entschieden ein.

selten: Reformation ohne Landeskirche

## 2. Grundlagen

Die dogmatischen Grundlagen wurden von Luther und Melanchthon gelegt, zwischen denen allerdings gewichtige Unterschiede bestanden. Gemeinsam war ihnen die reformatorische Dreifachformel „sola gratia", „sola fide" und „sola scriptura". Der Mensch kann sich in keiner Weise die Gnade Gottes verdienen, als Sünder, unfähig zum Guten, muß er sein ganzes Vertrauen auf die Barmherzigkeit Gottes setzen („sola fide"), seiner Gnade steht er als passiver Empfänger gegenüber („sola gratia"). Melanchthon lehrte im Unterschied zu Luther einen leichten Synergismus, d.h. er ging von einer Mitwirkung des Menschen bei der Rechtfertigung aus. In der Orthodoxie wurde die Alleinwirksamkeit Gottes zunehmend preisgegeben und ein Zusammenwirken von Gott und Mensch postuliert, bei dem freilich Gott das Handeln des Menschen lenkt. Die Frage nach der Heiligung, d.h. nach den Guten Werken als Früchten der Rechtfertigung, beantwortete die Orthodoxie von der Idee der „forensischen Gerechtsprechung" her. Danach hat Gott den Gläubigen nur gerecht erklärt, sein Wesen als Sünder aber nicht beseitigt. Luthers „Gott in uns" trat in den Hintergrund. Heiligung und Rechtfertigung traten auseinander. Die Orthodoxie hat von dieser Konzeption her, die Rechtfertigung sei hauptsächlich Sündenvergebung, stellenweise das Streben nach Heiligung insgesamt abgewertet, ja sogar als katholische Werkgerechtigkeit verdächtigt. Die Abwertung des „frommen Lebens" gegenüber der „reinen Lehre", welche die Orthodoxie vollzog, konnte sich dabei auf Luther selbst

dogmatische Grundlagen

Abwertung „frommen Lebens"

berufen: „Mit der Lehre gilts nicht Scherzens, die muß reine und recht bleiben; aber mit dem Leben halten wirs nicht so streng." „Das Leben kund man lassen böse sein" [nach WALLMANN, J., Kirchengeschichte Deutschlands seit der Reformation. Tübingen 1988, 105].

Beim Kirchenbegriff Melanchthons trat das Amt gegenüber Luthers ursprünglicher Konzeption vom „Priestertum aller Gläubigen" in den Vordergrund. Mit dem Prinzip „sola scriptura" wurde zwar jegliche Bindung der Lehre an die Tradition und ein Lehramt verworfen, wie es die katholische Kirche vertrat. Im Laufe der Orthodoxie trat aber die lebendige Bibelfrömmigkeit wieder zurück hinter ein System von Lehrsätzen, zu denen die Schrift lediglich die Beweisgrundlage zu liefern hatte. Dazu trug die von Melanchthon eingeleitete Rezeption der aristotelischen Metaphysik im Luthertum bei. Auf die Bibel wurde die aristotelische Kategorie des „Prinzips" angewandt, sie wurde demnach als ein Erstes, Unteilbares, jeder Kritik Enthobenes, Widerspruchsloses und unbedingt Wahres definiert, dessen Wortlaut von Gott selbst stammt (Verbalinspiration). Die Prediger und Theologen übernahmen die Rolle der einzigen berufenen Ausleger. Der Pfarrer wurde in der Orthodoxie zum Herrn über die Gemeinde. Die Kirche wurde ein Stück weit wieder zu einer Heilsanstalt, in der die Kirchendiener durch Wort und Sakrament am Heil der Kirchenglieder arbeiten.

Pastorenkirche

Auf der kirchenorganisatorischen Seite hätte Luthers Scheidung von geistlichem und weltlichem Regiment und seine Betonung des Gemeindeprinzips an sich einen staatsfernen kircheneigenen Leitungsaufbau „von unten" nahegelegt. Die Erfahrungen des Bauernkriegs haben den Reformator aber immer stärker auf die Karte der Landesfürsten setzen lassen. Schon 1525 hat er seinen Kurfürsten gebeten, eine Visitation durchzuführen, um die Kirche wiederaufzubauen und in evangelischem Sinne umzugestalten. Der Landesherr übernahm als „Notbischof" – eine Konzeption, die Melanchthon 1528 im „Unterricht der Visitatoren" theoretisch entwikkelt hat – die Leitung der Kirche. Für die weitere Entwicklung wird die Tatsache wichtig, daß Melanchthon lehrt, der Staat sei Hüter beider Tafeln des mosaischen Gesetzes. Er muß also für die rechte Verehrung Gottes und für christlichen Wandel sorgen, soll er nicht von Gott gestraft werden. Der Staat hat also auch seine Zwangsgewalt in den Dienst der „wahren Lehre" zu stellen.

Staatskirchentum

Die dogmatische Konfessonalisierung verlief auf zwei verschiedenen Ebenen, auf der des Reichs und in den einzelnen Territorien.

Es erwies sich als unmöglich, alle evangelischen Kirchen unter einer Lehrnorm und einer Kirchenordnung zusammenzubringen. Auch die deshalb veranstalteten Fürstentage (1557, 1558, 1561) scheiterten. Dies förderte das Entstehen territorialer Bekenntnisse und Kirchenordnungen wie des Württembergischen Bekenntnisses von 1551/52 oder anderer Corpora doctrinae, die sich in den sechziger und siebziger Jahren in Norddeutschland herausbildeten. Auch die gesamtlutherische Konkordienformel von 1577, die dezidiert die reformierte Lehre über Abendmahl und Christologie verwarf, fand nicht ungeteilte Zustimmung: Das Konkordienbuch von 1580 unterschrieben zwar 3 Kurfürsten, 20 Fürsten, 24 Grafen, 4 Freiherren, 35 Reichsstädte und über 8000 Kirchendiener, doch lehnten auch bedeutende Stände eine Unterschrift ab: Hessen-Kassel, Anhalt, Pfalz-Zweibrücken, Schleswig-Holstein, Braunschweig-Wolfenbüttel, Pommern, die Grafen der Wetterau, die meisten süddeutschen Reichsstädte, Danzig, Bremen, Magdeburg, Nordhausen. Nur etwa zwei Drittel der deutschen evangelischen Länder und Städte anerkannten die Konkordienformel. „An der Konkordie trennten sich also die Wege über kurz oder lang, zumal sie teilweise gerade den Übergang zum Calvinismus stimulierte oder zumindest vorbereitete. Mit ihr endet somit die Reformation, und spätestens hier beginnt auch zwischen den beiden reformatorischen Richtungen das konfessionelle Zeitalter“ [33: Brecht/Ehmer, Südwestdeutsche Reformationsgeschichte, 441 f.]. Beim Abendmahlssakrament verwirft die Konkordienformel jede bloß geistige oder zeichenhafte Auffassung, Brot und Wein bleiben Heilszusagen und so zusammen mit dem Wort der Bibel Wirkungsweisen Gottes, den Glauben zu stiften und über ihn das Heil zu schenken. Die Konkordienformel lehrt die allgemeine Gnade, die sich allen Menschen zuwendet, die glauben können. Der calvinistische Heilspartikularismus (ein Teil der Menschen ist zum Heil bestimmt, ein Teil zur Verdammnis) wird verworfen. Hier trennen sich die Wege von Luthertum und Calvinismus. Die Konkordienformel stärkte indirekt die obrigkeitlichen Tendenzen im Luthertum, territorialpolitisch deshalb, weil die „Gnesiolutheraner“ [eine Gruppe, die Luthers Erbe rein bewahren und von reformierten Einflüssen frei halten wollte], welche die Gemeindeautonomie hochgehalten hatten, nun ausgeschaltet waren. Die Vorstellung, die evangelischen Landesherren seien in die bischöflichen Rechte eingetreten, hatte schon der Augsburger Religionsfrieden bekräftigt.

Konkordienbuch 1580

Gemeindekirche unterliegt Landeskirche

Episkopalismus

Das evangelische Kirchenwesen war indes keine „Erfindung“

Spätmittelalterliche Traditionen

des 16. Jahrhunderts, sondern setzte das landesherrliche Kirchenregiment des Spätmittelalters fort. Im Kampf zwischen Papsttum und Konziliarismus im 15. Jahrhundert hatten die Päpste die Unterstützung der weltlichen Fürsten gesucht und ihnen in Konkordaten die Kontrolle kirchlicher Vermögen zugestanden und die Zuständigkeit für Anordnungen über Gottesdienste, Prozessionen und Kirchenzucht gewährt. Sie hatten damit die wechselseitige Durchdringung von Kirche und Staat legitimiert, die weltanschaulich mit einer Symbiose von Kirche und Welt verknüpft war. Vorreformatorisch waren zwar noch keine Landeskirchen entstanden, aber in den Territorien praktisch Gebiets-Verwaltungs-Körperschaften der universalen Kirche – sozusagen Vorstufen der Territorialkirchen.

## 3. Aufbau und Funktion

### *3.1 Kirchenorganisation*

Regelungsbedürftige Bereiche

Regelungsbedarf bestand nach dem Ausfall der kirchlichen Leitungsgremien im Zuge der Reformation hinsichtlich
- der Festlegung der Lehrgrundlagen,
- der liturgischen Neuordnung,
- der personellen Ausstattung der Pfarreien,
- der schulischen Versorgung,
- der Regelung des Armenwesens und
- des Neuaufbaus einer Kirchenstruktur im evangelischen Staat.

Die Kirche kam bis zur Mitte des Jahrhunderts praktisch ohne Mittelinstanzen und ohne eine institutionelle Spitze neben dem Landesherrn aus. Aufsichtsbehörden wurden ad hoc tätig. Besonders die zur Kirchenordnung verwendeten Visitationen blieben ohne feste Struktur oder Institutionalisierung. Eine Kirchenleitung entwickelte sich zunächst statt dessen aus dem Ehegericht. Seit dem Ende der 20er Jahre versahen in Kursachsen Superattendenten ehegerichtliche Aufgaben und übten die „Dienstaufsicht“ über die Geistlichen aus. 1539 wurde die dezentrale Struktur dieser „Attendenz“ aufgrund der Vorstellungen des landschaftlichen Ausschusses zugunsten von wenigen Ehe- und Zuchtgerichten aufgehoben, die den Titel „Konsistorium“ führten. Mit dieser Institution übernahm der Landesherr die herrenlos gewordene bischöfliche Jurisdiktion. In Sachsen, Mittel- und Norddeutschland entstanden die Konsistorien also als Ehe- und Zuchtgerichte – analog zu den Kammer- oder

Kirchenleitung 1 – das sächsische Modell: Basis Ehegericht

Landgerichten. Württemberg dagegen entwickelte seinen Kirchenrat aus der Visitationskommission – also analog zum herzoglichen Rat als Verwaltungsbehörde -, Ehesachen überließ der Herzog aber besonderen Gerichten [179: Müller, Konsistorialverfassung]. Sachsen verband beide Modelle 1580 zu einer Kirchenleitung, die Gericht blieb, zugleich unter württembergischen Einfluß aber auch eine landesherrliche Verwaltungsbehörde wurde. Hier vereinigten sich also die beiden Traditionslinien der lutherischen Kirchenorganisation. Kleinere Territorien wie Hohenlohe blieben auf der Stufe ohne zentralisierte Kirchenverwaltung stehen. In ihnen regierte der Fürst persönlich, ohne eine Verwaltungsbehörde.

Kirchenleitung 2 – das württembergische Modell: Basis Visitation

Die Kirchenleitung entwickelte sich in der gleichen Zeit, in der sich auch Kammer und Geheimer Rat selbständig machten, folgte also einer nicht auf die Kirche beschränkten Tendenz in der Verwaltungsgeschichte. Die im Rahmen einer breiten „evangelischen" Bewegung schließlich doch entscheidende Stellung des Fürsten behielt dieser auch im Leitungsaufbau der lutherischen Kirche bei. Dies gilt auch für Hessen, wo zunächst kein Konsistorium geschaffen wurde, sondern an der Spitze der Kirche eine Generalsynode stand. Sie konnte nicht ohne Wissen und Willen des Landesherrn handeln, wiewohl man festhalten muß, daß auch ein solcher Kirchenaufbau „von unten nach oben" im gemäßigten Luthertum, wie es Philipp von Hessen vertrat, möglich war [121: Sohm, Territorium 76-81]. Vereinzelte Versuche, die Kirche durch evangelische Bischöfe leiten zu lassen, blieben unwirksam.

Soviel in ganz groben Zügen und ganz allgemein. Betrachten wir, um uns ein Bild von der Verfassungswirklichkeit zu machen, einen wichtigen Fall aus der Nähe: Württemberg [33: Brecht/Ehmer, Südwestdeutsche Reformationsgeschichte]. Ihm gegenüber illustriert das Schaubild (Abb. 1) die sächsische Kirchenorganisation. Text und Bild können einander erhellen und ergänzen, nicht zuletzt, weil die Kirchenordnung Kursachsens von 1580 bewußt das württembergische Beispiel nachahmt und nur unwesentlich den lokalen Gegebenheiten anpaßt. Der württembergische Kirchenrat, das Konsistorium (in Sachsen war das Konsistorium wegen der Größe des Landes zweistufig aufgebaut), unterstand direkt als Fachbehörde dem Landesherrn. Er war paritätisch aus Juristen („Politici") und Theologen besetzt, wobei ein Jurist den Vorsitz behielt. Offensichtlich versuchte man zunächst, ohne Zwischeninstanzen auszukommen und die Kirche bis zur Gemeindeebene hinunter von der Zentrale aus zu leiten. Die Synodalordnung von 1547 unterteilte dann das

Württemberg exemplarisch: die Entwicklung der Kirchenorganisation

Herzogtum in 23 Dekanate und schrieb vor, jährlich zweimal eine Synode abzuhalten. 1553 war die Ordnung der Landeskirche perfekt: Die 23 Spezialsuperattendenten (früher „Dekane" genannt) visitierten die Pfarrer ihres Bezirks. Vier Generalsuperattendenten waren ihnen vorgesetzt. Sie verwalteten jeweils ein Viertel des Landes. Zur Prüfung der Visitationsberichte trat der Synodus zusammen, in dem die Kirchenräte (Mitglieder des Konsistoriums) und die Generalsuperintendenten vertreten waren.

Gemeinde Objekt der Seelsorge

Die Kirchenorganisation ließ den Gemeinden und ihren Pfarrern wenig Befugnisse. Das straffe staatskirchliche Prinzip machte die Kirchenuntertanen von der Leitung vorgesetzter Instanzen abhängig. Die Kirchenzucht wurde ebenfalls zentralisiert: Zwar hatten die Pfarrer nach den württembergischen Ordnungen von 1536 und 1553 das Recht, offenbare Sünder vom Abendmahl abzumahnen, eine Mitwirkung der Gemeinde war jedoch nicht vorgesehen, vielmehr betraute die Landesordnung die Amtleute mit der Sittenaufsicht. Exkommunizieren, d.h. notorische schwere Sünder aus der Gemeinde ausschließen, konnte nur der Synodus als zentrale Visitationsbehörde. Versuche, ein Zuchtrecht der Gemeinde durchzusetzen und die Kirche von der Einzelgemeinde her aufzubauen, scheiterten. Die zunächst recht starke Fraktion der oberdeutsch-zwinglischen Prediger konnte letztlich ihre Kirchenkonzeption nicht nur im Bereich der Zucht nicht verwirklichen, sondern unterlag der lutherischen Fraktion allmählich immer deutlicher.

Andere lutherische Territorien wie Hohenlohe bezogen ihre Konzepte der Zucht aus zwinglisch-oberdeutschen Quellen, auch wenn sie der Gemeinde keine Mitsprache gewährten: Hier konnte der Pfarrer selbst nach der Visitationsordnung von 1558 den Kleinen Bann verhängen. Pfalz-Neuburg erhielt mit den sogenannten Generalartikeln von 1576 nicht nur ein ausgebautes Konsistorium, sondern an unterster Stelle in Gestalt der Censoren in den Pfarreien gewählte Vertrauensleute, die Zucht und Ehrbarkeit überwachten.

Mangel an Pfarrern

Ein Hauptproblem der neuen evangelischen Landeskirchen war die Besetzung der Pfarrstellen. Bleiben wir beim Fall Württemberg: Viele Pfarrer weigerten sich 1534, sich auf die neue Lehre verpflichten zu lassen. Nachbarterritorien mußten helfen, den dadurch entstandenen Mangel zu lindern. Fremde Patronats[Pfarreibesetzungs-]rechte hinderten zudem eine zügige Protestantisierung. Häufig mußte der Herzog sich damit bescheiden, neben den alten Pfarrer einen Prädikanten zu setzen. Die lange Zeit, die für den Aufbau einer neuen Kirche gebraucht wurde, hängt mit den Personalproble-

**Lutherische Kirchenverfassung Kursachsens 1580**

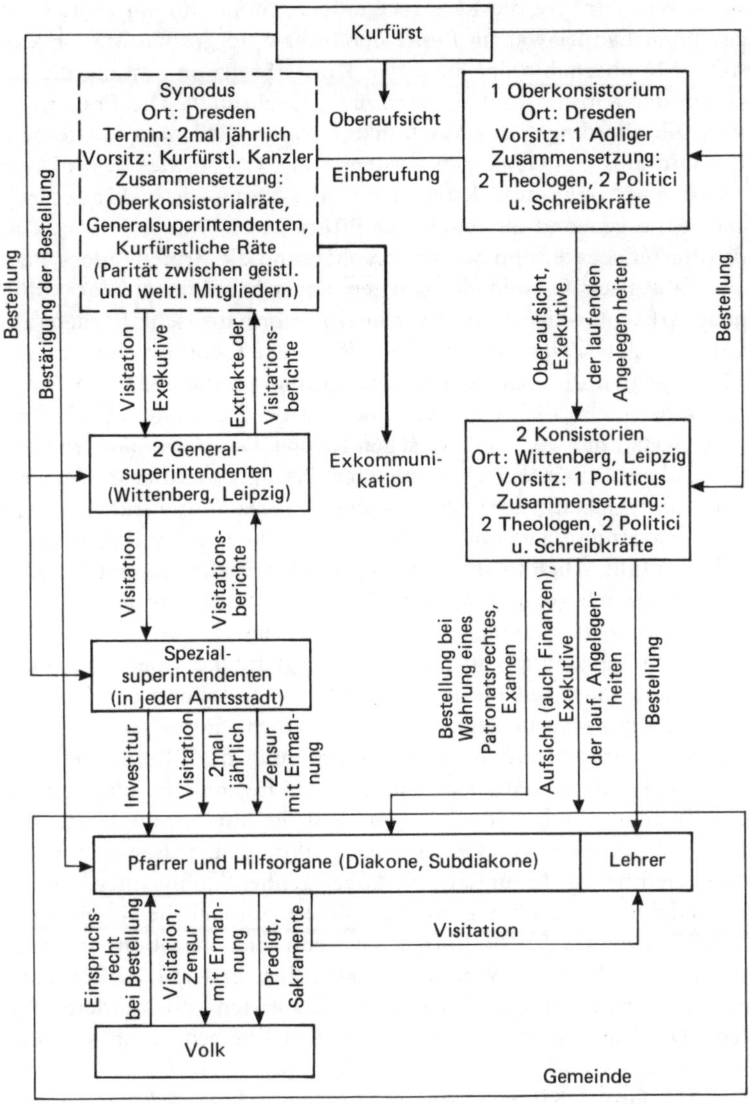


*Abb. 1* – nach 43: JEDIN/LATOURETTE/MARTIN (Hrsg.), Atlas, 74.

men aufs engste zusammen. Um sie auf Dauer zu lösen, mußten die amtierenden Pfarrer besoldet und die Ausbildung der künftigen Pfarrer völlig neu organisiert und finanziert werden. 1534 inventarisierte Württemberg die Klostervermögen. Immerhin ein Drittel des gesamten Landes war im Besitz der 14 bzw. 15 großen Männerklöster. 1536 übernahm der Staat den Klosterbesitz und zwang die Insassen der Klöster ins Exil oder zur „Bekehrung". Die Frauenklöster, die allerdings kein Machtfaktor waren, ließ man aussterben. Die Ordnung des Gemeinen Kastens von 1535/36 wies den lokalen „Kästen" (Armen- und Kirchenetats) das Vermögen bisheriger ewiger Stiftungen und aufgehobener Pfründen zu. Aus ihnen wurden die Pfarrer, Lehrer und Mesner besoldet und die Armen unterstützt.

neue Gottesdienstformen

Liturgisch feierten die württembergischen Pfarrer eine völlig neue Art Gottesdienst, die zwar an vorreformatorische Formen anknüpfte, den Zeitgenossen aber als Neuheit vorkommen mußte. 1536 erschien die „Gemein Kirchenordnung", die 1553 von Brenz mit lutherischen Elementen erweitert wurde. Sie ordnete die liturgische Gestalt der württembergischen Kirche. Der Form nach war der Gottesdienst oberdeutsch, schlichter Predigtgottesdienst. Ansprachen und Gebete stammten aus der brandenburg-nürnbergischen Kirchenordnung. Die oberdeutsche Form war also mit lutherischem Inhalt gefüllt. Abendmahl sollte in größeren Städten monatlich oder vierzehntäglich gefeiert werden, Wochengottesdienste in den Dörfern ein-, in den Städten zweimal stattfinden.

neues Eherecht

Die Eheordnung von 1536, die erste gedruckte Eheordnung des Protestantismus, goß die revolutionäre Umgestaltung der Ehe, die mit der Reformation einherging, in rechtliche Form. Sie verlangte bei den Heiraten zwingend die Zustimmung der Eltern. Dies war völlig neu. Bisher hatten geschlechtsreife Jugendliche ohne elterliche Zustimmung heiraten können, weil die alte Kirche lehrte, der Konsens stifte ein vor Gott gültiges Sakrament. Das war nun anders, die Ehe wurde zur „zivilen Angelegenheit", ohne allerdings ihren religiösen Charakter ganz zu verlieren. Voreheliche Geschlechtsbeziehungen wurden bestraft, auch wenn eine Verlobung bestand. Ein Ehegericht ist in Württemberg allerdings erst 1541 sicher nachzuweisen (bestehend aus 2 Theologen, 2 Juristen und 3 anderen Räten). Die Eheordnung von 1553 gab dem Eherecht dann abschließend feste Gestalt.

Württembergische Kirchenordnung 1559

Die Große Kirchenordnung von 1559 schloß den Kirchenaufbau insgesamt ab. Sie faßt das Maßnahmenbündel, das wir „Reformation" nennen, zusammen. Sie enthält:

- im geistlichen Bereich: die Confessio Virtembergica von 1552, die Gottesdienstordnung und den Brenzschen Katechismus von 1553, eine Ordnung über die Besetzung der Kirchendienste, die 1554 erlassene Eheordnung, eine Schulordnung und Verordnungen gegen Sekten, Zauberer, Teufelsbeschwörer und Wahrsager,
- im sozialen Bereich: die Kastenordnung von 1536 und eine Ärzteordnung,
- im Bereich Kirchenzucht: eine Rugordnung, die Visitations- und Superintendenzordnung, die die Aufgaben der Spezial- und Generalsuperintendenten beschreibt, dann die politische oder Landesinspektion oder -visitation, eine Zensurordnung, welche die Handhabung der Kirchenzucht regelt, wobei der Kleine Bann (Ausschluß vom Abendmahl) nur vom Kirchenrat beschlossen werden kann, und eine Ordnung des Synodus (Konvent der Generalsuperintendenten mit dem Kirchenrat), und schließlich Anordnungen über die Kirchenverwaltung und eine Ordnung des Kirchenrates. Die Rugordnung ist insofern von besonderem Interesse, als sie die Sittenzucht, nach calvinistischer Überzeugung ein Essentiale der christlichen Kirche, den weltlichen Amtleuten zuweist, die als Niederrichter mit Rügeschöffen gemeinsam auch sittenpolizeiliche Aufgaben übernehmen. Weltliche Niedergerichte urteilten also über Sünden.

Sittenzucht wird staatliche Angelegenheit

Ebenso wichtig wie die Kirchenordnung von 1559 war die verfassungsmäßige Festschreibung der lutherischen kirchlichen Ordnung im Herzogtum durch den Stuttgarter Landtag von 1565. Der Herzog verzichtete im Religionspunkt auf sein Reformationsrecht und band seine Nachfolger an die Confessio Augustana. Auf Drängen der Stände wurde damit der Konfessionsstand als Landesgrundgesetz verankert. Die starke Stellung des Landesfürsten im Kirchenaufbau wird im Eindruck gemildert, wenn man sich vor Augen hält, daß die Stände des Landes sich derart stark für die lutherische Konfession engagierten und die Freiheit des Fürsten beschnitten.

Luthertum 1565 Landesgrundordnung

Kirchenordnungen folgen verschiedenen Modellen, die hier zwar genannt, aber nicht näher untersucht werden können: dem Vorbild der Bugenhagenschen Braunschweiger Kirchenordnung von 1528 schließen sich Hamburg (1529), Lübeck (1531), Pommern (1534), Dänemark (1537), Holstein (1542), Braunschweig-Wolfenbüttel (1543) und Hildesheim (1544) an. Die brandenburg-nürnbergische Kirchenordnung von 1533 ist in Nassau-Siegen-Dillenburg (1534/35), Mecklenburg (1540), Brandenburg (1553) und anderen

lutherische Kirchenordnungen – Überblick

Territorien wie Württemberg und Waldeck nachgeahmt worden. Dem Wittenberger Vorbild folgen Lippstadt (1531), Hoya (1530), Herford, Soest, Waldeck-Wildungen und Nassau-Dillenburg (1532), Rietberg (1533) (Hessische Kirchenordnung 1532?), Lemgo und abermals Nassau-Siegen-Dillenburg (1537), Lippe (1538), Wittgenstein-Hohenstein (um 1539), Tecklenburg-Lingen-Rheda und nochmals Lippe (1543), das vereinigte Wittgenstein (1555), Waldeck (1556), Neuenrade (1564), Diepholz und Lippe-Spiegelberg-Pyrmont (1571), Hoya-Rietberg (1574), abermals Hoya (1581).

Zwei Drittel aller Kirchenordnungen stammen jedoch aus den Jahren zwischen 1550 und 1600. Die württembergische Ordnung von 1553 wurde Vorbild für Baden-Durlach und Kurpfalz (beide 1556), Preußen, Hanau-Lichtenberg, Pfalz-Neuburg, Pfalz-Zweibrücken, Leinigen, Worms, Nassau-Saarbrücken etc. Die Große Ordnung von 1559 wurde dann in den meisten anderen lutherischen Territorien unter Einschluß Sachsens, das das Visitationswesen als erstes ausgebaut hatte, auch in Brandenburg-Ansbach 1565, in Braunschweig-Wolfenbüttel 1569 oder in Hohenlohe 1578 zur Richtschnur genommen.

Gute Policey: Sünden von Staats wegen verfolgen = göttlicher Auftrag

Zwischen den Kirchen- und den Policeyordnungen der protestantischen Territorien bestehen enge formale und inhaltliche Verwandtschaften. Geistliche und weltliche Ordnung blieben aufeinander bezogen, und der Staat übernahm selbstverständlich die kirchliche Sittenzucht in seine Regie. Die Württemberger Landesordnung von 1536 betont die kirchliche Verantwortung der weltlichen Obrigkeit, als deren Konsequenz die Sittenzucht in die staatliche Aufsicht integriert wird. Zwar haben die Pfarrer das Abmahnungsrecht gegenüber Sündern, die zum Abendmahl wollen. Im übrigen ist es aber Aufgabe der Amtleute, Gotteslästern, Fluchen, Saufen, Spielen, Hurerei und andere Sünden zu verfolgen, die Gott dazu reizen könnten, das Land mit seinem Zorn zu strafen.

Die an Württemberg beschriebene Vermischung der „Zwei Reiche“ findet sich in allen lutherischen Gebieten: Die Policeyordnung der Gräfin von Ostfriesland von 1545 begründet das Gebot, demzufolge Zunftvorsteher, Kirchenvorsteher und Prädikanten ihnen bekannte Sünden den Amtleuten oder Landrichtern melden sollen, wie folgt: „Nachdem alle Obrigkeit zum Beschirmen der Frommen und zum Strafen der Übeltäter von Gott allmächtig verordnet ist, damit ihre Gemeinde und Untertanen in der Furcht des Herrn gelehrt, in guter Zucht erhalten, mit Gerechtigkeit, guter Ordnung und Polizei stets gut regiert werden ... haben wir darauf zu achten, daß die schweren Laster der Gotteslästerung, des Fluchens, Spielens, des Zu- und Volltrinkens, Tag und Nacht in Wirtshäusern Liegens sowie der Prunksucht in der Kleidung, was Weib und Kind sowie den Mann selbst an den Bettelstab bringt, dazu Streit und blutige Schlägereien, Ehebruch, Kuppelei und Hurerei, Wucher und alle anderen Bosheiten, von denen die Welt nun leider voll ist, nicht ungestraft bleiben, um des gemeinen Friedens und der Ordnung willen, sonderlich aber weil es Gott dem Allmächtigen zuwider, und sein heiliges Wort dadurch geschmähet wird" [7: SEHLING (Hrsg.), Kirchenordnungen 7, zitiert nach 52: SCHILLING, Deutschland, 314]. Sittenzucht wird von allen Obrigkeiten von Ostfriesland bis Kärnten, von Preußen bis zur Kurpfalz eingesetzt, ihre Untertanen in christlichem Geist zu erziehen.

### *3.2 Ziele der Klerus- und Laienreform*

Amtleute als strafende, Pfarrer und Prediger als mahnende und indoktrinierende Instanz arbeiteten zusammen. An beider Strenge und Ernst entschied sich der Erfolg der Sittenzucht. Folglich kam ihrer Bildung, ihrer Persönlichkeit und ihrer Haltung ein entscheidendes Gewicht zu. Untersuchungen zur Oberpfalz erweisen, daß im Jahr 1557 evangelische Pfarrer noch in großer Zahl ungebildet und nachlässig waren. Um 1580 aber hatte sich die Lage schon deutlich gebessert: Von 320 Pfarrern hatten schon 150 eine Hochschule absolviert. 1615 wurden Bildung und Verhalten durchweg gelobt. In Württemberg zeigt sich die gleiche Tendenz. „Eine allmähliche Hebung des geistlichen Standes war also unverkennbar" [101: ZEEDEN, Konfessionsbildung, 172]. Der Pfarrerstand rekrutierte sich zunehmend aus sich selbst, d.h. Pfarrersöhne folgten dem Berufsbild ihres Vaters. Diese Linie wird aus anderen Territorien eindeutig bestätigt. Dabei kamen die Pfarrer überwiegend aus der Stadt, vermittelten also Werte, die nicht unabhängig von ihrer eigenen städtischen Erfahrungswelt waren. Die in einer agrarischen Welt vorherrschenden kulturellen Werte waren dem evangelischen Pfarrer zunächst fremd. Er bekämpfte die bäuerliche Sexualität, Vulgarität und Lebensfreude, um Disziplin, Moral, Frömmigkeit, Gehorsam und Nüchternheit zu pflanzen und wurde so zum wirkungsvollen Advokaten der staatlichen Interessen. So blieb von dem reformatorischen Anspruch, alle Gläubigen seien Priester, nicht viel übrig. Die protestantischen Kirchen wurden Pastorenkirchen, die Gemeinden Objekte der pastoralen Arbeit.

Pfarrer werden „Intellektuelle"

Die Ziele dieser Arbeit lassen sich folgendermaßen gruppieren:

Ziele einer Reform des Volkes

- Beseitigung der Reste katholischer Frömmigkeitspraktiken: Visitationen und Pfarrberichte klagen über den Hang des Volkes zur Anbetung des Altarsakraments, zu Wallfahrten, zur Bilderverehrung,
- Ausrottung von Aberglauben, Segensprechen, magischen Riten,
- Kampf gegen den Hang zu Streit und Haß,
- Mäßigung in Essen, Trinken, Tanzen und öffentlichem Betragen,
- Förderung sexueller Enthaltsamkeit, Kampf gegen Ehebruch, uneheliche Schwängerungen,
- Sabbatheiligung: Hunderte von Kirchenordnungen bis ins 17. Jahrhundert schärfen sie immer wieder ein.

Zehn Gebote Leitordnung

Im Grund folgte die staatliche wie die kirchliche Sittenzucht dem Leitfaden der Zehn Gebote. Ihre Durchsetzung hing an der Glaubwürdigkeit, mit der die evangelische Botschaft verkündigt wurde, und an der Strenge, mit der Sünder bestraft und zur Besserung gebracht werden konnten. Die lutherischen Kirchen gingen nach einer anfänglich zögernden Haltung wieder zur Ausübung des Großen Bannes über, also zur feierlichen Exkommunikation schwerer und öffentlicher Sünder, während sich die frühen Kirchenordnungen mit dem Kleinen Bann, dem Ausschluß von Abendmahl und Taufe, begnügt hatten. Durch den Großen Bann wurde der Sünder öffentlich dem Teufel überantwortet und jedem Gläubigen geboten, persönlichen Umgang mit diesem zu meiden. Die Handhabung des Großen Bannes wurde zentralisiert und dem Konsistorium zugewiesen. So z.B. in Wolfenbüttel 1569: „Reuige Exkommunizierte mußten, um wieder in die kirchliche Gemeinschaft aufgenommen zu werden, weil sie öffentlich gebannt waren, öffentlich vor der Gemeinde Sühne leisten, im Angesicht der Gemeinde in der Kirche niederknien, während der Pfarrer die Formel der öffentlichen Beichte und Absolution ihm vorsprach und ihn danach zum Abendmahl wieder zuließ. Wer in der Exkommunikation starb, dem wurde ein christliches Begräbnis verweigert“ [101: ZEEDEN, Konfessionsbildung, 164]. Nicht zu unterschätzen dürfte auch die disziplinierende Wirkung von Leumundszeugnissen sein, wie sie ein Gemeindemitglied beim Verlassen seiner Kirchgemeinde vom Pfarrer erhielt und ohne die es schwer irgendwo Aufnahme fand, was bis jetzt aber nur an wenigen süd- und norddeutschen Beispielen belegt ist. Wenn die lutherische Theologie den „Guten Werken“ auch keine heilstiftende

Wirkung zuzuschreiben bereit war, so sorgte sie doch für rechten Gottesdienst, und das nicht nur sonntags in der Kirche, sondern auch in Arbeit, Ehe und Gemeinde, die allesamt als „Beruf" verstanden wurden und Gott dienten.

### *3.3 Schulen und Universitäten*

Eine „Kirche des Wortes", wie sie die evangelische sein wollte, hat eine natürliche Affinität zur Erziehung und zur Alphabetisierung. Diese Annahme begründet das verbreitete Urteil vom „Bildungsvorsprung des Protestantismus": In Augsburg z.B. war ein Viertel der Bevölkerung katholisch, 1623 standen aber 20 protestantische 4 katholischen Schulen/Lehrern gegenüber, 1550 evangelische Schüler (826 Jungen und 724 Mädchen) 240 katholischen (118 Jungen, 122 Mädchen), bei den Studenten betrug die Relation 6:1 [98: WARMBRUNN: Zwei Konfessionen, 277-294].

Luthertum mit Bildungsvorsprung?

Dieses allgemeine Urteil ist aber zu relativieren. Auch ein bedeutender protestantischer Staat wie Württemberg dachte nicht an eine Alphabetisierungskampagne, er brauchte vielmehr Beamte und forcierte und bevorzugte deshalb die Lateinschulen, unter anderem durch Abschaffung von deutschen Schulen in kleineren Landstädten. Zwar fehlen Untersuchungen zu den deutschen Schulen noch weitgehend. Dennoch scheint der Eindruck verallgemeinert werden zu können, daß die Lateinschulen, von denen man fähige „professionelle" Beamten und Pfarrer erwarten konnte, auf Kosten der deutschen Schulen gefördert wurden.

Eine Welle von Universitätsgründungen, nicht nur im evangelischen Deutschland, ging mit der Konfessionalisierung einher: Marburg (1527), Königsberg (1544), Jena (1558), Helmstedt (1576), Gießen (1607), Rinteln und Straßburg (1621), Altdorf (1623) kamen zu den bestehenden evangelischen Universitäten Heidelberg, Leipzig, Rostock, Greifswald, Basel, Tübingen, Frankfurt a.d. Oder und Wittenberg hinzu. Alle „befestigten sie im Traktieren des Dogmas die Landeskonfession, im Lehren des römischen Rechts den obrigkeitlichen Absolutismus" [60: ZEEDEN, Glaubenskämpfe, 189]. Am Ende des 16. Jahrhundert war Deutschland zum hochschulreichsten Land Europas geworden. Zugleich war aber der universelle Bildungsanspruch faktisch reduziert, die Hochschule war zur „Staatsanstalt und Konfessionsschule" geworden [67: BÜCKING, Reformversuche, 360]. Eine Besonderheit weisen Württemberg und Braunschweig-Wolfenbüttel auf: Formell bestand hier das Klostersystem

Welle von Universitätsgründungen

weiter, es wurde aber auf die Ausbildung geistlichen Nachwuchses spezialisiert; in Württemberg behielten die Klöster zudem ihre Landstandschaft. Neben den deutschen Schulen für Mädchen und Buben mit den Fächern Lesen, Schreiben, Katechismus, Psalmen, Bibelsprüche und Kirchengesang bestand in den Klosterschulen und den Partikularschulen (Lateinschulen), verbunden mit den Pädagogien in Tübingen und Stuttgart, ein zweigleisiges höheres Schulwesen, das zum Studium führte.

# C. Katholische Kirchentümer

## 1. Entstehung

### *1.1 Kontinuität ohne Bruch*

Nur wenige Gebiete hatten den Sturm der evangelischen Bewegung nicht erlebt oder sehr rasch überwunden, standen also im großen und ganzen in einer klaren Kontinuität ohne Bruch: Köln und Überlingen von den Reichsstädten, Lothringen, Trier, Luxemburg, das Erzstift Köln, das Vest Recklinghausen, das Archidiakonat Xanten teilweise, die österreichischen Vorlande (Breisgau, Landvogtei Ortenau, Grafschaft Hohenberg, Landgrafschaft Nellenburg, Landvogtei Schwaben, Markgrafschaft Burgau), Bayern, Tirol und Vorarlberg. Dies schließt aber nicht aus, daß z.B. in Bayern die Grafschaften Ortenburg, Haag und Hohenwaldeck, deren Obrigkeiten zu den Trägern der sogenannten Kelchbewegung gehörten, kurzfristig zu Zentren einer evangelischen Bewegung im Osten des Herzogtums werden konnten und daß in Tirol das Täufertum über lange Zeit hin im Verborgenen blühte. In der Regel war aber eine Rekatholisierung im Sinne einer Rückführung zur alten Kirche notwendig, die in Gestalt einer Doppelstrategie einerseits „Gegenreformation“, d.h. Verdrängung protestantischer Ideen und Ideenträger, war und andererseits „katholische Reform“ als Konfessionalisierung im Sinne der römischen Kirche.

### *1.2 Gegenreformation und katholische Reform*

In einem langen Kampf, der sich teilweise bis zur Mitte des 17. Jahrhunderts hinzog, behauptete sich der Katholizismus in den Bistümern Hildesheim, Osnabrück, Münster, Paderborn, Köln, Trier, der Abtei Fulda, Teilen Schlesiens, Enklaven wie dem Eichsfeld, der Lausitz, Ermland und Westpreußen, sämtlichen süddeutschen Hochstiften, nämlich Würzburg, Bamberg, Eichstätt, Mainz, Worms, Augsburg, Konstanz, Straßburg, Speyer, in der Kirchenprovinz Salzburg, in Teilen des Herzogtums Kleve-Jülich-Berg, in den Städten Köln, Aachen, Offenburg, Gegenbach, Gmünd, Kaysersberg, Rosheim, Gmünd, Weil der Stadt, Konstanz, Rottweil und schließlich in einer Reihe kleinerer Herrschaften im Süden wie Baden-Baden, Pfalz-Neuburg, Fürstenberg, Hohenzollern, Waldburg, Montfort, Helfenstein, in Teilen der Grafschaft Öttingen und in vielen Gebieten der Reichsritterschaft und des Deutschen Ordens, der Fürstpropstei Ellwangen und reichsunmittelbarer Klöster (z.B. Weingarten, Ochsenhausen, Neresheim).

katholische Gebiete: erhalten oder zurückgewonnen

Wesentliche Stationen dieses Kampfes um Erhalt oder Rückgewinnung von Gebieten für den Katholizismus stellten die Abwehr einer Reformation des Erzstifts Köln, der Straßburger Kapitelstreit, die Reformationsversuche der Reichsstadt Aachen und die Rekatholisierung des Fürstbistums Würzburg und Österreichs dar. Der Erzbischof von Köln, Gebhard II. Truchseß von Waldburg, scheiterte mit seinem Versuch, dem preußischen Vorbild nachzueifern, seine Stiftslande zu säkularisieren und der Reformation zuzuführen; 1589 resignierte er: Der Geistliche Vorbehalt hatte sich als wirksam erwiesen. Das Kurkolleg blieb mehrheitlich katholisch. Überdies war mit Köln ein Eckpfeiler stabilisiert, der den Fortbestand der westfälischen Fürstbistümer sicherte und die Möglichkeit schuf, von hier aus dem Katholizismus Gebiete zurückzuerobern. Der Streit zwischen evangelischen und katholischen Domherren im Straßburger Kapitel, der sich 1583/84 zugespitzt hatte, endete 1604 mit der Bestallung Kardinal Karls von Lothringen zum Bischof, womit dieses Bistum der katholischen Kirche erhalten blieb.

Entscheidungsgefechte der Gegenreformation

Bayern war 1575 wieder rein katholisch, Fulda und Eichsfeld folgten, dann das Bistum Würzburg, in den westfälischen Hochstiften siegte die Gegenreformation erst Anfang des 17. Jahrhunderts. Die Bedeutung des Eichsfeldes und Fuldas liegt für die katholische Kirche darin, daß hier nahezu rein evangelische Gebiete wiedergewonnen wurden. Insgesamt kann man sagen, daß die katholische

Konfessionalisierung, faßt man unter diesem Begriff katholische Reform und Gegenreformation zusammen, deutlich sichtbar erst gegen Ende des 16. Jahrhunderts begann und erst im 17. Jahrhundert zum Erfolg führte.

## 2. Grundlagen

Geistige Regenerationsquellen: Humanismus und Devotio moderna

Die Wurzeln und Quellen der katholischen Reform liegen im Humanismus und der Devotio moderna, zwei Strömungen, die auch für die protestantischen Denominationen wichtig waren, dort aber eine andere Richtung einschlugen als im Katholizismus. Die katholische Reform speiste sich also aus eigenen spätmittelalterlichen Traditionen. Man könnte dafür auch den Begriff des „Evangelismus“ verwenden, um die enge geistige Verwandtschaft mit der reformatorischen Grundströmung zu erfassen. Ihr Durchbruch jedoch, das kann gar nicht bestritten werden, ist auf den Druck der Glaubensspaltung zurückzuführen, auf den eine neue Antwort gefunden werden mußte, wollte sich die katholische Kirche lebensfähig erhalten. Die Verbindung von Selbstreformation und Kampf gegen den Protestantismus macht die eigenartig schillernde Färbung der katholischen Konfessionalisierung aus.

Trienter Konzil

Auf der Grundlage der dogmatischen und organisatorisch-reformerischen Beschlüsse des Konzils von Trient entstand die Katholische Reform. Das Konzil war in Wirklichkeit nicht mehr das lange erwartete universelle Konzil der gesamten Christenheit, sondern ging von der Einsicht aus, daß die katholische Kirche sich als eine neben und gegen die anderen Konfessionen gestellte partikulare Kirche würde behaupten müssen. Es ging darum, die eigenen Reihen zu festigen. Das Konzil erstreckte sich über nahezu 20 Jahre mit langen Unterbrechungen:

1. Tagungsperiode: Trient Dezember 1545 – März 1547 und Bologna 1547/48
2. Tagungsperiode: 1551/1552
3. Tagungsperiode: 1561 – 1563

Die erste Periode diente den wichtigsten Lehrdefinitionen zur Abgrenzung von der Reformation, die dritte den Reformaufgaben und den organisatorischen Konsequenzen.

Gegen die reformatorische und humanistische Forderung, der Lehre die biblischen Urtexte zugrundezulegen, erklärte das Konzil die „Vulgata“, die lateinische Bibelübersetzung von Hieronymus, für „authentisch“. Gegen das „sola-scriptura-Prinzip“ der Reformation, nach dem sich die Schrift selbst auslegt und keine andere Autorität außer ihr gilt, bekräftigte das Konzil, daß Schrift und apostolische Tradition gleichwertig seien und daneben auch die kirchliche Tradition als Quelle der Lehre gelten könne. Über die rechte Auslegung von Schrift und Tradition wacht das kirchliche Lehramt der Bischöfe und des Papstes. Die Rechtfertigung blieb dogmatisch an die Sakramente gebunden, deren heilspendender Charakter damit unterstrichen wurde. Die Siebenzahl der Sakramente wurde bekräftigt, ihr Wesen als das „wirksamer Zeichen“ definiert. Ihre Heilsgnade geht sozusagen automatisch auf den Gläubigen über, wenn der ihr nicht widerstrebt. Durch die Rechtfertigung erfolgt eine wirkliche Gerechtmachung, die Übertragung einer neuen Qualität auf den Gläubigen – gegen Luthers „simul justus et peccator“ und Melanchthons Idee der forensischen Rechtfertigung, nach der Gott den Sünder bloß gerecht erklärt, ohne daß dieser dadurch ein „Gerechter“ würde (Rechtfertigungsdekret vom 6.1.1547). Die Gnade Gottes, so lehrt das Trienter Konzil gegen die nominalistische Auffassung, kann zwar nicht verdient werden, der Mensch arbeitet aber an seiner Erlösung mit, so daß seinen Guten Werken eine wichtige Bedeutung zukommt (Lehre von der doppelten Gerechtigkeit – „cooperatio hominis cum Deo“). Damit lenkt das Konzil zurück zu Thomas von Aquin und sucht zwischen den Extremen der Glaubensgerechtigkeit (reformatorisches „sola fide“) und der Werkgerechtigkeit einen mittleren Weg. In den Lehrkapiteln und Kanones zum Bußsakrament wird die Notwendigkeit der persönlichen Beichte und der richterliche Charakter der Absolution verteidigt. Gegen die reformatorische Worttheologie hat sich die katholische Kirche bewußt auf die Grundlage einer Sakramentskirche gestellt. Die Rolle des Priesters erscheint im Vergleich zu der des Predigers im Protestantismus „sakraler“ oder „magischer“. Die Guten Werke werden anders als im Calvinismus, in dem sie auch hoch geschätzt werden, nicht auf den Bereich des Sozialverhaltens konzentriert, sondern behalten die ganze Bandbreite rituellen Handelns bei: Wallfahrten, Beten für Lebende und Tote, Jahrzeiten, Heiligenverehrung, Fasten etc. helfen mit, die Gnade Gottes zu mehren, mit der er die Gläubigen beschenkt.

dogmatische Grundlagen des tridentinischen Katholizismus

Trient stärkte die Position des Papstes als Haupt der Kirche, festigte die bischöfliche Leitungsfunktion, Aufsicht (Visitation, Send) und Jurisdiktion, indem es die Archidiakone eindeutig unterordnete und ihnen Jurisdiktionsrechte nahm, verfügte die Residenzpflicht

organisatorische Beschlüsse des Tridentinums

der Bischöfe, erlegte ihnen auf, ihre Diözesen regelmäßig zu visitieren und Diözesansynoden abzuhalten, formulierte ein konfessionelles katholisches Bekenntnis (Professio fidei Tridentinae 1564), gab den Reformern einen Katechismus (Catechismus Romanus 1566), das Breviarium Romanum (1568) und ein neues Meßbuch (Missale Romanum 1570) an die Hand, das die katholischen Gottesdienste erstmals auf eine einheitliche liturgische Form brachte und gegen die Aufwertung der Laien, welche die Reformatoren vollzogen, die Rolle des Klerus betonte (Klerusliturgie), verlangte die Förderung von Predigt und Katechese und eine bessere Priesterausbildung durch Priesterseminare. In Rom entstand als Ausbildungsstätte für Kleriker aus dem Reich das Collegium Germanicum (1552), aus dem einige der bedeutendsten Reformbischöfe hervorgingen. Im 17. Jahrhundert war ein Viertel aller deutschen Bischöfe ehemalige Alumni des Collegiums, im 18. sogar ein Drittel. Ferner wurde das System der Legaten und Nuntien ausgebaut und damit die Bindung der deutschen Bistümer an Rom gefestigt. Die römischen Gesandten wurden in den 1570er und 1580er Jahren die wichtigsten Träger der tridentinischen Reform. Nuntien, Bischöfe und Jesuiten waren die stärksten Verbündeten, wenn sie in die gleiche Richtung arbeiteten.

Horte des inneren Widerstandes: Kapitel, Archidiakone

Noch standen jedoch viele Bischöfe den Beschlüssen des Konzils, an denen praktisch keiner von ihnen teilgenommen hatte, ablehnend gegenüber, von den Gruppen, deren Einfluß durch die tridentinischen Reformen geschmälert worden wäre (Domkapitulare, Archidiakone) ganz zu schweigen. Besonders die Archidiakone, die in Konkurrenz zu den Bischöfen Teilbezirke der Diözesen regierten, fürchteten den Verlust ihrer quasi-bischöflichen Macht. Sie hatten im Verlauf des Mittelalters wesentliche Verwaltungs- und Gerichtsfunktionen an sich gezogen, insbesondere das Visitationsrecht, die Send- und die Ehegerichtsbarkeit, häufig auch die Einsetzung der Pfarrer. In der Regel saßen sie selbst im Domkapitel, das durch seine Mitwirkung bei der bischöflichen Gesetzgebung und Verwaltung zu einer aristokratischen Nebenregierung geworden war.

Jesuiten

Schon auf dem Konzil spielten die Jesuiten eine wesentliche Rolle. Auf die Initiative ihres Gründers Ignatius von Loyola ging das Collegium Germanicum zurück, ebenso das Sanctum Officium, die zentrale Inquisitionsbehörde (1542). Dabei bestand der Jesuiten-Orden erst seit 1539/40. Doch rasch wurde er zum eigentlichen Stoßtrupp der Gegenreformation und der katholischen Reform. Jesuitenkollegien entstanden 1552 in Wien, 1556 in Köln, Ingolstadt und Prag, 1557 in Worms, 1559 in München und in Augsburg,

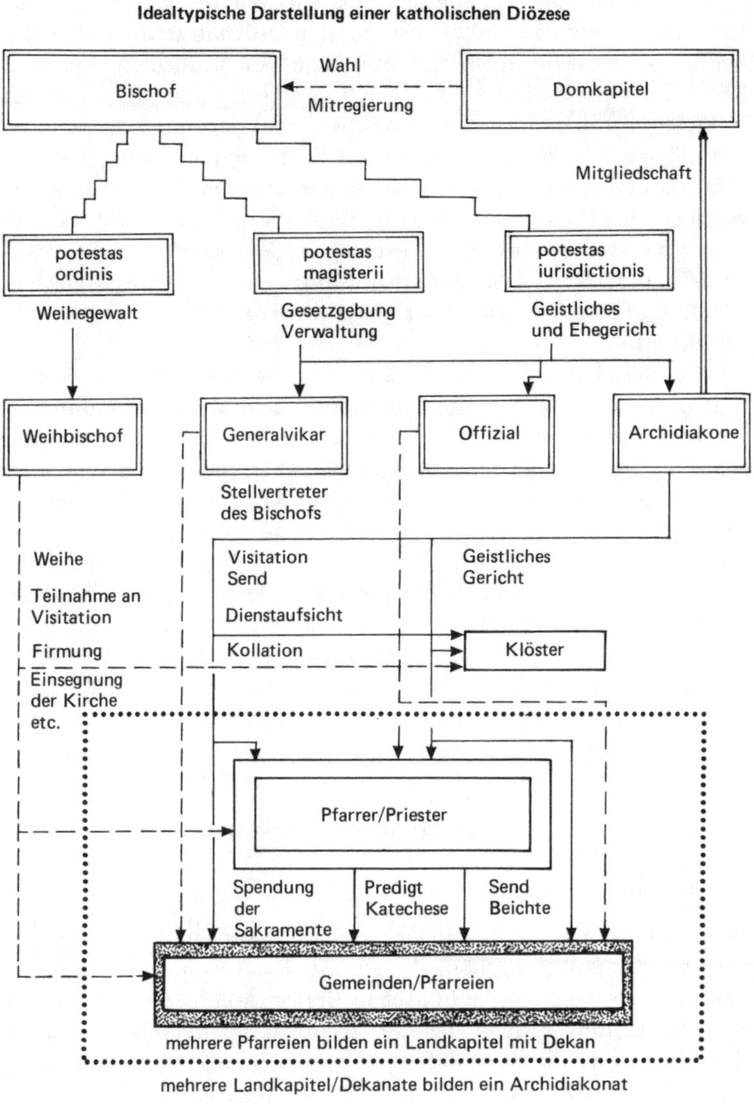
Idealtypische Darstellung einer katholischen Diözese
Bischof
Wahl
Mitregierung
Domkapitel
Mitgliedschaft
potestas ordinis
potestas magisterii
potestas iurisdictionis
Weihegewalt
Gesetzgebung Verwaltung
Geistliches und Ehegericht
Weihbischof
Generalvikar
Offizial
Archidiakone
Stellvertreter des Bischofs
Weihe
Teilnahme an Visitation
Firmung
Einsegnung der Kirche etc.
Visitation
Send
Dienstaufsicht
Kollation
Geistliches Gericht
Klöster
Pfarrer/Priester
Spendung der Sakramente
Predigt Katechese
Send Beichte
Gemeinden/Pfarreien
mehrere Pfarreien bilden ein Landkapitel mit Dekan
mehrere Landkapitel/Dekanate bilden ein Archidiakonat

*Abb. 2*

in den frühen 1560er Jahren in Trier (1560), Mainz (1561), Innsbruck (1563) und Dillingen (1564), in Würzburg entstand ein Jesuitengymnasium 1567, in Fulda 1570, ein weiteres Kolleg in Graz 1573. Der Kölner Kurfürst Ernst, der den Orden in sein Land geholt hatte, spannte von Köln aus ein Netz von Kollegien: Aachen, Bonn, Emmerich, Hildesheim, Neuß und Dortmund (die Stadt war evangelisch); in den westfälischen Bistümern begannen die Jesuiten ihre Tätigkeit 1580 in Paderborn, 1585 in Falkenhagen, 1588 in Münster und dann seit 1618-1664 auch in anderen Orten, wovon besonders noch Osnabrück (1625) zu nennen ist. Zunächst gab es zwei Provinzen des Ordens in Deutschland, „Rheinland" und „Oberdeutschland", 1563 kam eine dritte hinzu, die die habsburgischen Lande umfaßte. Um 1600 war sie die erfolgreichste mit über 400 Mitgliedern.

Soziologisch gesehen ähnelten die Jesuiten den protestantischen Pfarrern: Sie stammten aus städtischem Milieu, aus mittleren bis höheren Schichten, während Adel und Bauern stark unterrepräsentiert waren. Einige der Jesuitenkollegien waren mit Universitäten verbunden, so in Dillingen (1551 Universität, 1564 den Jesuiten zur Leitung übergeben), Paderborn, Bamberg, Molsheim, Graz, Olmütz. Die Jesuiten waren als Beichtväter und Prediger für das Volk, Beichträte und Prinzenerzieher an den Höfen, Lehrer an höheren Schulen und Universitäten tätig. Sie waren für die katholische Reform um so wichtiger, als das Reformwerk von den Bischöfen zunächst sehr nachlässig geführt wurde. Bischöfliche Synoden, Visitationen, Seminare blieben bis 1600 eher selten. Gerade in der Pfarrseelsorge kann ihre Leistung nicht hoch genug eingeschätzt werden.

## 3. Aufbau und Funktion

### *3.1 Weltliche Staaten*

Während bei den protestantischen Landeskirchen davon gesprochen werden muß, wie sie nach dem Bruch mit Rom ihre Kirche organisierten, ging es im katholischen Bereich weniger um die Änderung des Leitungssystems, bei der vor allem die Stellung, aber auch die Pflichten des Bischofs aufgewertet wurden, als um die Versuche, die vorhandenen Strukturen mit neuem tridentinischem Leben zu erfüllen, die organisatorischen Neuerungen (Priesterseminare) dafür zu schaffen und die Bevölkerung für einen erneuerten Katholizismus zu gewinnen und vom Protestantismus zurückzugewinnen.

Nur die geistlichen Staaten, in denen die Bischöfe auch Fürsten, also weltliche und geistliche Herren in einer Person waren, glichen den evangelischen Landeskirchen, in der Regel hatten es die Diözesanbischöfe mit fürstlichen Landesherren zu tun, mit denen sie zwar den Glauben teilten, mit denen sie aber doch bis zu einem gewissen Grade in Konkurrenz standen, auf deren Hilfe sie jedenfalls angewiesen waren.

Rekatholisierungen in Reichsstädten

In einer Zahl von Reichsstädten mit zunächst mehr oder weniger starken protestantischen Minderheiten kam es zu Rekatholisierungen. Aachen wurde durch Reichsacht und spanische Truppen 1598, nachdem beide Kultformen 1581 zugelassen worden waren, wieder katholisch. Bürgeraufstände 1608 und 1611, die eine erneute Zulassung des evangelischen Kultus erstrebten, scheiterten. Offenburg und Gengenbach schwenkten mit dem Interim um, hier scheiterte also die Reformation in einem sehr späten Stadium noch. Wenn der Rat der Reformation entschlossen entgegentrat, hatte er – nachdem einmal der elementare Schwung der 1520er Jahre gebrochen war – in der Regel gute Chancen, sie zu unterdrücken. Wie in den fürstlichen Territorien und wie übrigens auch in protestantischen Gebieten wurden Bürger- und Amtseide konfessionell eingesetzt, erhielten also Kampfcharakter. Bürgereide wurden zur Rekatholisierung eingesetzt in Gmünd (1576), Kaysersberg (1583), Rosheim (1586), Offenburg (1591) und Rottweil (1593) [Enderle, W., Die katholischen Reichsstädte im Zeitalter der Reformation und der Konfessionsbildung, in: ZRG, KA 75 (1989) 228-269].

katholische Staatskirchentümer

In den Fürstenstaaten, ob weltlich oder geistlich, war es der Staat, der die Reform vorantrieb und mit der eigenen Modernisierung vernüpfte. Auch in den katholischen Gebieten bildeten sich Staatskirchentümer, deren obrigkeitlicher Charakter dadurch noch deutlicher wird, daß sich moderner Staat und Konfession in der Regel gegen ständische und protestantische Opposition durchsetzen mußten. Organisatorisch drückt sich diese dem Protestantismus verwandte Tendenz zum Staatskirchentum darin aus, daß „Geistliche Räte" mit ähnlichen Aufgaben wie die protestantischen Konsistorien entstanden, zuerst 1570 in Bayern, dann nachgeahmt im katholischen Teil Badens 1577, im Erzstift Köln 1601, in Münster 1602.

Bayern

An Bayern und Österreich werden die allgemeinen Prinzipien der katholischen Konfessionalisierung deutlich: Bayern erlebte, von der Reformation durch frühzeitige Zensurmaßnahmen weitgehend nicht erfaßt, eine Kelchbewegung unter dem Adel, die nicht unbedingt protestantischen Charakter aufwies, aber Gefahren in dieser

Richtung in sich trug. Seit 1563 wurde die Gegenreformation mobilisiert: 1568 wurden die Trienter Dekrete für die Professoren der Universität Ingolstadt und 1569 für alle Lehrer, Geistlichen und Beamten verbindlich gemacht, 1569 Zensurmandate gegen evangelische Schriften erlassen, 1569/70 eine allgemeine Kirchenvisitation durchgeführt und 1570 der Geistliche Rat (geschaffen bereits 1556) als landesherrliche Kirchenbehörde fest organisiert. Dabei war es der Herzog, der gegen den anfänglichen Widerstand der altbairischen Bischöfe Visitationen, Jesuitenmissionen, Klosterreformen, Klerusüberwachung und antiprotestantische Maßnahmen wie das Verbot, neugläubige Predigten zu besuchen, Landesverweisung von Nichtkatholiken, Bücherzensur, Kelchabschaffung und Überwachung des religiösen und kirchlichen Lebens durch den Geistlichen Rat durchsetzte [53: SCHINDLING/ZIEGLER (Hrsg.), Territorien 1, 56-70]. Bayern war damit das erste Land, das die Trienter Dekrete einführte und durch die Förderung der Gesellschaft Jesu gezielt katholische Konfessionalisierung betrieb, obwohl von einer Gegenreformation im strengen Sinne angesichts des Fehlens von Protestanten im Lande nicht gesprochen werden kann. Den Erfolgen zollte Rom im Konkordat von 1583 und den Rezessen von Salzburg 1628 und Augsburg 1631 Anerkennung, indem es den Herzögen die Kirchenhoheit zugestand. Der Geistliche Rat kontrollierte das kirchliche und religiöse Leben, beaufsichtigte die Klöster und präsentierte die Geistlichen für Pfarreien und Kollegiatstifte. Auf unterer Ebene erhielten die Rentmeister in den bayerischen Rentämtern unter Herzog Maximilian die Aufgabe, die Sitten und den Glauben der Untertanen, besonders die Sexual- und Ehemoral, zu überwachen. Das höhlte die von den Ständen mit kontrollierte ordentliche Niedergerichtsbarkeit aus und stärkte den Zentralstaat mit der Tendenz, die Sittenzucht der Untertanen zu verschärfen.

„Geistlicher Rat“ 1556/70

Ganz anders war die Ausgangslage in Österreich [53: SCHINDLING/ZIEGLER (Hrsg.), Territorien 1, 102-116 und 118-133]. In Innerösterreich herrschten auch nach dem Bauernkrieg von 1525 ungebrochen starke Sympathien für die neue Lehre. Die Stände wehrten sich gegen die landesherrliche Visitation von 1528, weil sie ihre ständischen Freiheiten bedroht sahen. Sie verquickten Religion und Politik zugunsten der evangelischen Lehre und führten ihren Ständekampf als religiöse Auseinandersetzung. Sie verweigerten z.B. die Überstellung straffällig gewordener Priester an die geistlichen Jurisdiktionsbehörden und ermunterten den Ungehorsam der Untertanen gegen landesherrliche Verfügungen in Religionssachen. Die

Österreich

evangelische Ständemehrheit

Schloßkapellen stellten sie in den Dienst einer Evangelisierung der Untertanen und schufen damit die organisatorischen Ansatzpunkte für ein reformatorisches Kirchenwesen. Ihre adligen Präsentationsrechte wandten sie im reformatorischen Sinne an. „Das Visitationsprotokoll von 1528 zeigt ein bereits fortgeschrittenes Stadium in der Entwicklung eines grund- und gutsherrlichen Kirchenregiments im Zuge der Herrschaftsbildung des steirmärkischen Adels. An Einzelbeispielen wird erkennbar, daß die Usurpierung kirchlicher Rechte und Funktionen sich bis hin zu Kult, Lehre und Kirchenorganisation erstreckte“ [270: SCHOLZ, Kirchenpolitik, 213 f.]. Auf diesen Grundlagen blühte der österreichische Protestantismus, abgesehen von Tirol und Vorarlberg, bis in die 1570er Jahre, obwohl rechtlich nur der Adel die freie Religionswahl besaß und die landesherrlichen Städte und Märkte über keine wirklich verbindliche Anerkennung ihres evangelischen Charakters verfügten. Einige Etappen im Fortschritt des Protestantismus in Stichworten: Religionskonzession für den Adel Ober- und Niederösterreichs 1568, bestätigt 1571 in der Religionsassekuration für den niederösterreichischen Adel, 1572 Grazer Religionspazifikation für den Adel der Steiermark, seine Angehörigen und Untertanen, 1575 Freistellungsbrief für den Adel in Böhmen, 1578 Brucker Religionspazifikation für Innerösterreich insgesamt, mit der die Zugeständnisse für den Steierer Adel auch auf den in Kärnten, Krain und die dortigen Stadtbürger ausgedehnt wurden. In der Steiermark fand nach Auskunft der Visitation von 1544/45 „unter Wahrung der äußeren katholischen Formen ein liturgisch unvollständiger und lehrmäßig lutherischer Gottesdienst statt“ [101: ZEEDEN, Konfessionsbildung, 81]. In Niederösterreich einigten sich die Stände 1571 auf eine von Chyträus verfaßte lutherische Kirchenordnung, Innerösterreich folgte 1574, während es in Österreich ob der Enns nicht zu einer vom Hof akzeptierten gesamtevangelischen Kirchenordnung kam. Mißlich war, daß es in Österreich nicht gelang, einen Superintendenten und ein Konsistorium einzusetzen, die Kirchenorganisation also formell nicht abgeschlossen war.

lutherische Ständekirche

Trotz der massiven Zugeständnisse, in deren Folge gegen die Hälfte der Bevölkerung protestantisch wurde, dachte die Landesherrschaft nicht daran, eine lutherische Ständekirche zuzulassen. Es gelang Kaiser Maximilian II. durch die Visitation von 1566, die Reorganisation der katholischen Kirche wirksam in Gang zu setzen. 1567 erging eine Generalordnung für Stifte und Klöster, 1568 entstand der Klosterrat, der zum Instrument des landesfürstlichen Kir-

landesherrliche Gegenreformation

chenregiments wurde. Unter Kaiser Rudolf (1576-1608) regierten in Ober- und Niederösterreich Matthias und Ernst, die jüngeren Brüder des Kaisers als Statthalter, in Innerösterreich Erzherzog Karl. Ernst und Karl betrieben seit den späten siebziger Jahren eine entschieden gegenreformatorische Politik.

Innerösterreich: Zentrum der Gegenreformation

Innerösterreich wurde seit 1580 zum Kerngebiet der österreichischen Gegenreformation und des konfessionellen Absolutismus [250: Mecenseffy, Protestantismus in Österreich]. Anders als in Ober- und Niederösterreich, wo es Anfang des 17. Jahrhunderts zu einem Rückschlag in der Gegenreformation kam, verlief sie in Innerösterreich konsequent und bruchlos. In einem gemeinsamen Programm verbanden sich Bayern, das mit der steirischen Linie der Habsburger verflochten war, und Innerösterreich 1579: Es kam zur Säuberung des Hofes, der Verwaltung, zum Verbot für Städter, evangelischen Gottesdienst zu besuchen oder ihre Kinder auf die evangelischen Ständeschulen zu schicken. Das Grazer Jesuitenkolleg wurde 1585 zur Universität erhoben, evangelische Prediger und Lehrer wurden vertrieben, die Protestanten aus den Stadträten ausgeschlossen, 1588 den Städten ein katholischer Bürgereid vorgeschrieben, 1598 in Graz und Judenburg unter offenem Bruch der Brucker Pazifikation der evangelische Kirchen- und Schuldienst verboten, die Prädikanten und Lehrer des Landes verwiesen. 1599 setzte die Reformationskommission ihr Werk mit steigendem Nachdruck und unter starkem militärischem Schutz fort, mit Gewalt den Widerstand etwa der Bergknappen in Leoben brechend, Kirchen und Friedhöfe zerstörend, Bücher verbrennend. Den Schlußstein setzte der Befehl an alle Grazer, am 31. Juli 1600 zum katholischen Gottesdienst zu erscheinen. Allein zwischen 1599 und 1600 dürften aus Kärnten und der Steiermark ca. 5000 Evangelische ausgewandert sein. Kurz nach der Jahrhundertwende war das evangelische Kirchenwesen Innerösterreichs fast völlig beseitigt. Die Zeit des Geheimprotestantismus begann.

Niederösterreich: Reduktion des Protestantismus auf den Adel

Zum eigentlichen Motor der Gegenreformation in Niederösterreich wurde der Passauer Offizial Melchior Klesl. 1588 Bischof von Wiener Neustadt und 1598 von Wien, leitete er seit 1590 die sogenannte Reformationskommission, die landesherrliche Zentralbehörde für die Durchführung der Gegenreformation. Niederösterreich erlebte seit den 1570er Jahren eine zum Teil gewaltsame, gegen den Widerstand der Bevölkerung vollzogene Rekatholisierung. Zugleich gelang es durch Nobilitierungen von Katholiken, die konfessionelle Front der Stände zu durchbrechen. Bereits um 1600 war das evangelische Kirchenwesen Niederösterreichs auf den unmittelbaren Umkreis der Adelsfamilien reduziert.

In Oberösterreich, dem Zentrum des österreichischen Protestantismus, kam die Gegenreformation erst später zum Zug. Eine grundsätzliche Wende trat mit dem oberösterreichischen Bauernkrieg 1595-1597 ein, der die konfessionelle Gemeinsamkeit von Adel und Bauern zerbrach. Ein Aufstand in Hallstadt im Salzkammergut 1601 konnte erst 1602 niedergeworfen werden.

Oberösterreich: Bauernkrieg 1595/97 als Wende zum Erfolg der Gegenreformation

In Tirol, dessen evangelische Bewegung früh ins Kryptotäuferische abgelenkt worden war, vollzog sich eine eher atypische, aber wegen der grundsätzlichen Bedeutung des Phänomens erwähnenswert andere katholische Konfessionalisierung. Hier wurde im Gefolge der Trienter Beschlüsse das spätmittelalterliche weltliche Kirchenregiment abgebaut. Die Reformen gingen von den Bistümern Brixen und Trient aus, und sie stärkten die Position der Kirche: „Es ist ... gar nicht zu übersehen, daß die Kirche in Tirol – gemessen an der spätmittelalterlichen Übung – bedeutende Fortschritte gemacht hatte. Die These vom ‚wachsenden Staatskirchentum' in der frühen Neuzeit erweist sich somit als revisionsbedürftig, zumal sich auch in benachbarten Territorien ähnliche Beobachtungen treffen lassen. In den Konkordaten des frühen 17. Jahrhunderts mußten sich die geistlichen Reformer freilich mit den weltlichen Obrigkeiten arrangieren, so daß manche Forderung des tridentinischen Kirchenrechts unerfüllt geblieben war" [213: BÜCKING, Tridentinum, 221]. Die Bischöfe reduzierten beispielsweise die landesherrliche Mitsprache bei Visitationen faktisch auf Null.

Tirol: kein Staatskirchentum?

### *3.2 Geistliche Staaten*

Die schleichende Evangelisierung der Bevölkerung, wie sie sich in Österreich vollzog, finden wir auch in den geistlichen Fürstentümern allerorten verbreitet. Im Süden wurden Würzburg, Bamberg, Eichstätt, auch Mainz, Augsburg, Speyer, Worms, Konstanz und Salzburg von einer evangelischen Bewegung erfaßt. In der Bischofsstadt Trier konnte ein Aufstand calvinistischer Bürger 1580 nur militärisch niedergeschlagen werden. Im Hochstift Würzburg waren bis Mitte der vierziger Jahre der landständische Adel und die Stadtbürger evangelisch geworden, mit Ausnahme der Dom- und Stiftsschule war auch das Bildungssystem im protestantischen Sinne umgestaltet worden. Die westfälischen Hochstifte Minden, Osnabrück, Münster und Paderborn erlebten seit den dreißiger Jahren das glei-

schleichende Evangelisierung

che Schicksal. Vielerorts wurde das Fastengebot nicht mehr beachtet. In einzelnen Städten wurde die alte Kirche und deren Lehre von der Eucharistie öffentlich angegriffen. Es kam zu Volksaufständen und zu Bilderstürmen. „Je weiter die Zeit fortschritt, desto stärker wuchs unter dem Einfluß zahlreicher Winkelprediger auch in der Landbevölkerung die Neigung zum Luthertum" [54: SCHRÖER, Reformation 2, 514 f.]. Mitte des Jahrhunderts konnten das Hochstift Osnabrück und das Fürstbistum Minden als überwiegend evangelisch gelten. Um 1630 gab es in Minden kein katholisches Dorf mehr. Aber selbst das Herzogtum Westfalen und das Vest Recklinghausen (beide Kurköln), die von der Reformation nur am Rande berührt worden waren, sahen unter dem Einfluß niederländischer und pfälzischer Glaubensflüchtlinge ein Anwachsen lutherischer oder calvinistischer Ideen.

Städte = Vorreiter des Protestantismus

Vorreiter einer effektiven evangelischen Konfessionalisierung wurden auch in den geistlichen Fürstentümern die Städte (Würzburg, Eichstätt, Salzburg, Paderborn, Minden, Osnabrück). Wie in Österreich spielte daneben der Landadel eine wichtige Rolle: Seine Patronatsrechte nutzte er zugunsten der neuen Lehre. In den Hochstiften Paderborn und Münster verlor der Katholizismus durch das Kollationsrecht nichtkatholischer Adelspatrone eine erhebliche Zahl von Pfarreien. Ein Beispiel illustriert die Schwierigkeiten der Rekatholisierung: Der Paderborner Fürstbischof Dietrich von Fürstenberg (1585-1618) bestand zwar die Kraftprobe mit dem führenden reformierten Edelherrn Joachim von Büren, der in der Stadtpfarrei Büren 1596 einen evangelischen Prediger installiert hatte. Der Prediger konnte vertrieben werden, doch gelang es erst 1612, dem alten Glauben wieder Boden zu gewinnen. 1624 waren 192 Haushaltungen wieder katholisch geworden, 56 blieben nichtkatholisch. Im Agendenstreit seit 1602 standen sich Adel, Städte und Bischof, gegenüber [Agenden entsprechen in etwa den Kirchenordnungen in evangelischen Landeskirchen]. Auf dem Land- und Städtetag 1603 traten neun Städte (Paderborn, Brakel, Nieheim, Steinheim, Lüdge, Borgholz, Büren, Wünneberg und Beverungen), obwohl ihnen der Bischof in den letzten Jahren katholische Geistliche aufgezwungen hatte, noch immer entschieden protestantisch auf, während elf Städte zwar katholisch, aber z.T. auch unentschieden waren. Erst 1608 beendeten die 43 Ritter und die Städte Paderborn, Brakel, Lüdge und Steinheim angesichts der Kriegslage ihre politische Rebellion, die sie gestützt auf einen Beistandspakt mit Hessen geführt hatten, und verloren damit auch den Kampf um das Bekenntnis. Es folgte die äußere Rekatholisierung (die Agende blieb bis 1687 in Kraft), die innere mußte erst noch erfolgen. Sie ging einher mit der Beseitigung der städtischen und ständischen Mitwirkungs- und Selbstregierungsrechte, der Fürstbischof regierte als absolutistischer Fürst. In Münster kam es 1600 zur gleichen Konfrontation mit den Städten wie in Paderborn: Münster, Coesfeld, Warendorf, Bocholt, Borken, Beckum, Ahlen, Dülmen, Haltern, Vreden, Werne und Telgte schlossen ein Städtebündnis gegen den Landesherrn. 1623 wurden die Städte des Münsterlandes militärisch niedergeworfen [273: SCHRÖER, Kirche 113-121]. Der Krieg war hier eine Fortsetzung, zum Teil auch der Beginn der Gegenreformation mit anderen Mitteln.

Betrachten wir die Gegenkräfte gegen die schleichende Evangelisierung genauer. In Augsburg begann die Rekatholisierung zwar sehr früh, noch in den 1540er Jahren kam es zu zwei Diözesansynoden und zur Gründung der Universität Dillingen. 1567 führte Bischof Otto Truchseß von Waldburg eine große Reformsynode durch. Seine lange Abwesenheit als Kardinal verhinderte allerdings die volle Durchsetzung der Reformen, die erst Heinrich von Knöringen (1598-1646) gelang. Recht früh begann auch die Verwirklichung der Reformdekrete in Salzburg, Passau, Regensburg, Freising und Brixen. In Salzburg verzögerte sich ihre Durchsetzung jedoch bis weit ins 17. Jahrhundert hinein. Besonders die Bauern in den Bergen waren für den Staat schwer zu kontrollieren. Ihre eigenständige Volkskultur, getragen von den kommunalen Strukturen, war ein doppeltes Problem: für die konfessionelle Vereinheitlichung und für die staatliche Hoheit. Aus dem Ausland kommendes protestantisches Gedankengut amalgamierte sich mit den katholischen Traditionen, so daß eine eigenständige und eigenartige Mischung lutherischer und katholischer Riten und Ideen vorherrschte. Aus dem Defereggental, ein hochalpin gelegenes Tal im Hochstift Salzburg, kamen noch in den 1660er Jahren Meldungen, wonach die Bauern in den Wirtschaften religiöse und theologische Probleme diskutierten, die katholischen Riten und den Papst kritisierten. Kapuziner und Truppen scheiterten, so daß 1684 der Fürstbischof Max Gandolf alle nicht zur Botmäßigkeit Bereiten zwangsexilierte (ähnliche Ereignisse in Dürrnberg, Radtstadt, Pinzgau, Pongau und Lungau) [256: ORTNER, Salzburg]. Die gänzliche Vertreibung der Salzburger Protestanten im 18. Jahrhundert zeigt, daß die früheren Maßnahmen der Gegenreformation besonders zähem Widerstand ausgesetzt gewesen waren.

Tridentinum erst im 17. Jahrhundert verwirklicht

Reformbischöfe

Erst in den 1580er und 1590er Jahren traten mehr entschieden reformfreundlich gesinnte Bischöfe an die Spitze von Diözesen, in Hildesheim und Würzburg 1573, Speyer 1581, Paderborn und Münster 1585, in Köln entscheidend erst Ferdinand von Bayern, 1595-1612 Koadjutor, dann von 1612-1650 Bischof, in anderen Diözesen noch später. Speyer begann in den 1580er Jahren mit der katholischen Erneuerung. Hier war ausnahmsweise einmal das Kapitel der Motor einer katholischen Reform: Es betrieb 1566 die Gründung eines Jesuitenkollegs und schuf so ein Gegengewicht gegen die evangelische Stadt Speyer und die Pfalz, zu deren Satellitensystem das Stift gehört hatte. Der neue Bischof Eberhard von Dienheim (1581-1610) aus dem Kreis des Kapitels setzte die Reform fort, beginnend beim Klerus, dessen Zustand in Amtsführung und Disziplin nach der Visitation von 1583-1588 nicht besonders gut war, fest gestützt auf die Jesuiten. Er vermochte jedoch nicht, die Kräfte des Hochstifts für die kirchliche Reform zusammenzufassen. Konstanz erlebte erst unter Jakob Fugger nach 1604 eine zielstrebige katholische Reform (Jesuitenkolleg 1605 in Konstanz). Ein Priesterseminar wurde gar erst 1735 errichtet. Auch in Bamberg kamen die Reformen erst nach 1609 zum Tragen, in Mainz dauerte es bis nach dem Dreißigjährigen Krieg, das Reformwerk abzuschließen. Zwar hatte hier Bischof Daniel von Homburg (1555-1582) bereits 1561 die Jesuiten als Lehrer des Gymnasiums und der Hochschule berufen und 1572 mit Zustimmung des Kapitels die Professio fidei Tridentinae für alle Domherren verbindlich gemacht. Doch erst 1603 säuberte der Bischof den Hof und die Beamtenschaft, 1606 wurden die Personen notiert, die die Messe verweigerten, und ihnen die Landesverweisung angedroht. Den Abschluß bildete die „Erneuerte Kirchenordnung“ von 1669. Worms überwand den „Kompromißkatholizismus“ zu Beginn des 17. Jahrhunderts. In Köln und Münster wurden die tridentinischen Reformen zwischen 1612 und 1650 durchgeführt, zum Abschluß kamen sie im Hochstift Münster erst nach 1650 und im Kurerzstift erst nach 1665. Im Hochstift Osnabrück folgten zwischen 1574 und 1623 drei evangelische Bischöfe, so daß die Verkündigung der tridentinischen Dekrete durch Johann Hoya 1570 nicht wirksam werden konnte. Erst unter dem Schutz ligistischer Truppen konnte der katholische Gottesdienst wiederhergestellt werden. Die Rekatholisierung der Städte ging mit Zwang vonstatten. In Minden scheiterte die Gegenreformation sogar vollständig: es hörte endgültig 1634 mit der Besetzung durch die Schweden auf, ein katholisches Land zu sein.

Reformerfolge erst nach 1600

Ohne Gegenreformation konnte es keine katholische Reform geben. In der ersten Phase scheiterte die katholische Konfessionalisierung an der patriarchalischen Art ihrer Durchführung (keine Gewaltanwendung, kein Gewissenszwang). Nur im Hochstift Eichstätt führte die „obrigkeitlich-patriarchalische Gegenreformation“ zum Erfolg. In Bamberg und Würzburg bedurfte es der Verschärfung. Beide Bistümer können hier als Beispiele für die Schwierigkeiten und für die Grundprinzipien einer erfolgreichen Rekatholisierung dienen. Energisch und zielstrebig ging Julius Echter von Mespelbrunn (1573-1617) an die Gegenreformation heran [278: SPECKER, Reformtätigkeit]. In der Manier eines frühabsolutistischen Fürsten begann er, gestützt auf ein förmliches Hilfeversprechen Bayerns von 1586, eine konfessionelle Konfrontationspolitik. Mit dieser Rückendeckung versehen, vertrieb er seit 1577 insgesamt 120 evangelische Pfarrer. Den protestantischen Adel drängte er aus den Regierungsstellen zugunsten bürgerlicher Beamter, die auf den katholischen Glauben verpflichtet wurden; hartnäckig an ihrem Glauben hängende Protestanten trieb er aus dem Land. Die Lehrer mußten vor ihrer Zulassung zum Lehramt in katholischer Weise gebeichtet und kommuniziert haben. Mit Hilfe der Jesuiten führte er in drei Jahren eine Visitation durch, die rund 100 000 Untertanen formell rekatholisierte. Nach der Niederschlagung einer protestantischen Bewegung in den 1580er Jahren wurden 1586 600 Lutheraner zwangsexiliert. 1587 mußten alle auswandern, die sich nicht katholisieren lassen wollten. In Bamberg waren in den 1570er und 1580er Jahren die Weihbischöfe die Träger der Reform. Weihbischof Jakob Feucht riskierte den Zusammenstoß mit dem Domkapitel, als er 1571 erklärte, er werde niemanden mehr ordinieren, der nicht nach den Vorschriften des Konzils examiniert sei. Das Domkapitel lehnte diese Forderung mit dem Hinweis auf das alte Herkommen ab. Ebenso weigerten sich Domkapitel und Bischof zunächst, die Schulen überprüfen und die Lehrer auf die Professio fidei catholicae verpflichten zu lassen. Eine dann 1573 doch durchgeführte Prüfung zeigte, daß ein Großteil der Lehrer sich zum Luthertum bekannte und den lutherischen Katechismus lehrte. Bischof Neithard von Thüngen (1591-1598) in Bamberg ergriff dann ganz ähnliche Maßnahmen wie Julius Echter: Prädikanten, Lehrer und Beamte wurden zum alten Glauben gezwungen oder vertrieben. „Die lutherischen Untertanen wurden unter Androhung von Geldstrafen in die Residenzstadt beordert und erhielten zur Rückkehr zur Alten Kirche nur eine sehr kurze Frist, die meist durch einen Fest- oder Feiertag begrenzt

Würzburg: von der patriarchalen zur frühabsolutistischen Gegenreformation wurde; diejenigen, die sich weigerten, mußten ihre Ämter niederlegen, ihr Gewerbe einstellen, wurden oft in Gewahrsam genommen, der Verkauf ihrer Güter wurde angeordnet und ‚auf offener Cantzel' bekannt gemacht" [274: SCHUBERT, Franken, 257 f.].

Die Organisation der Kirche blieb im wesentlichen traditionell, der Kampf gegen die Archidiakone und ein selbstherrliches Domkapitel vollzog sich sehr langsam. Als einzige wesentliche organisatorische Neuerung können die „Geistlichen Räte" gelten, die mancherorts – nach bayerischem Vorbild – von den Bischöfen geschaffen wurden und als Kollegialbehörde die Verwaltungsspitze des Hochstifts bildeten (Würzburg, Münster, Köln; auch im – weltlichen – Fürstentum Baden-Baden nachgeahmt). Mit Verwaltungsreformen im Sinne frühabsolutistischer Staatlichkeit war die katholische Konfessionalisierung eng verbunden. Bischof Echter z.B. modernisierte seine Verwaltung und konzentrierte sie auf sich als den Landesherrn statt auf das Domkapitel, im Bereich des Spitalwesens und des Rechts organisierte er Reformen. Die Struktur des Bistums reorganisierte er durch die Schaffung von 24 Landkapiteln. 1575 begannen die Geistlichen Räte in Zweierkommissionen die Kapitelsversammlungen zu besuchen, praktisch also: regelmäßige Pfarrervisitationen durchzuführen. Sie verlangten dabei die Ablegung des Eides auf die Professio fidei Tridentinae. 1592 erließ Echter eine – nach evangelischem Vorbild so genannte – Kirchenordnung, die in Anlehnung an die Trienter Dekrete sein „Landeskirchentum" organisierte und die Reformen zusammenfaßte. Diese zweite Phase nach der „patriarchalischen Gegenreformation", von ERNST SCHUBERT „territorialstaatliche Gegenreformation" genannt, ist dadurch gekennzeichnet, daß der Fürstbischof seine weltliche Macht gezielt und erfolgreich einsetzte. Die Amtleute wurden die Helfer der Gegenreformation: Vögte, Kastner, Bürgermeister, Räte und Amtsverweser kontrollierten die Einhaltung der geistlich-religiösen und sittlichen Gebote des Fürstbischofs. Mandate gegen Gotteslästerung, Sabbatschändung und unsittliches Verhalten ähneln stark den Sittenzuchtmaßnahmen in den Policeygesetzen und Kirchenordnungen der evangelischen Kirchentümer. Das Mandat über den rechten Wandel erschien 1587, als die Gegenreformation zum größten Teil vollendet war, 1589 erging eine Kirchenordnung, die viele tridentinische Dekrete umsetzte, die schärfsten Maßnahmen gegen das Konkubinat leitete der Geistliche Rat erst 1594 ein. Julius Echters Erfolge ließen zumindest beim Klerus nicht auf sich warten: Seine Qualität besserte sich – besonders im Bereich der sittlichen Lebensführung und der Bildung.

katholisches Landeskirchentum

1. Phase: Gegenreformation

2. Phase: kath. Reform

Zusammenfassend kann man sagen: Die katholische Reform stützt sich auf die Gegenreformation, sie ist Sache der Fürsten, der weltlichen Amtsträger und der akademischen Elite (Jesuiten). Auch in Erz- und Hochstiften ist es der Bischof als weltliche Gewalt, der die Gegenreformation zum Erfolg führt. Zwar beginnen erste Reformansätze um das Jahr 1570, aber gerade die extrem lange Dauer ist für die katholische Konfessionalisierung typisch. Die katholische Gegenoffensive vollzog sich in folgenden Etappen:

Fazit:
1. Reform folgt Gegenreformation
2. weltlicher Arm entscheidend
3. lange Dauer kennzeichnend
4. 7-Punkte-Programm

1. Säuberung der Beamtenschaft, der städtischen Räte und Zünfte von Evangelischen,
2. Eid von Beamten, Lehrern und Graduierten auf das Tridentinum,
3. Vertreibung evangelischer Prediger und Lehrer,
4. Zulassung nur von „geprüften“ katholischen Priestern,
5. Sequestration evangelischer Bücher und Verbot der Teilnahme an auswärtigen protestantischen Gottesdiensten,
6. Visitationen zur Rekatholisierung der Bevölkerung,
7. Ausweisung notorischer Protestanten.

### *3.3 Ziele der Klerusreform*

Sollte die katholische Reform auf der Gegenreformation aufbauen und die Menschen auch innerlich zur römischen Kirche zurückführen, war alles an einer Reform des Klerus gelegen. Die Ziele waren klar: moralisch-sittliche Besserung (Verstöße gegen den Zölibat, Trunksucht, Gewalttätigkeit), Verbesserung der Ausbildung, Straffung der Amtsführung. Die bewußte Scheidung des geistlichen Standes von den Laien und ihre Tendenz zur Sakralisierung des kirchlichen Lebens unterschied die katholischen von den protestantischen Klerusreformen. Zudem mußte die schleichende Evangelisierung auch des katholischen Klerus, der ungeniert protestantische Agenden verwandte, rückgängig gemacht werden. Besonders die Jesuiten schufen in ihren Kollegien und den von ihnen betreuten Seminaren die Ausbildungsstätten für einen zukünftigen tridentinisch reformierten Klerus. Doch muß man ein Defizit konstatieren: Die vom Trienter Konzil geforderte Gründung von Priesterseminaren kam wegen des Widerstands der Domkapitel und dem Mangel an Engagement der Bischöfe nur langsam voran. Die ersten Priesterseminare entstanden 1564 in Eichstätt („Collegium Willibaldinum“) und 1570 in Würzburg, es folgten Breslau und Bamberg. Im Kurfürstentum Trier entstanden 1585 ein bischöfliches Seminar und eines des

Klerusreform:
– Lebenswandel
– Amtsführung

Jesuiten:
Seelsorge
Ausbildung

Kapitels, Köln erhielt 1615 ein Seminar, während in Paderborn und Konstanz eine Gründung im 17. Jahrhundert nicht mehr gelang. Mancherorts gingen die Seminare rasch wieder ein wie in Köln und Salzburg.

### *3.4 Ziele der Laienreform*

Auch die Laienreform kann man in den „moralisch-sittlichen" und den „religiösen" Bereich differenzieren. Für die Bildung der Laien in religiösen Fragen wurde der Katechismus des Petrus Canisius zu einem ähnlichen Instrument wie Luthers Kleiner Katechismus für die Protestanten. Er erschien in unterschiedlichen Ausgaben für Gelehrte (1555), Gymnasiasten (1558) und das einfache Volk (1556). Von der letztgenannten Version wurde 1561 eine Kurzfassung herausgegeben. Sie diente der Volks- und Kinderkatechese. Wie im Protestantismus hieß Katechese für das einfache Volk Nachsprechen, Einbläuen, Abfragen. Insgesamt erlebte der Katechismus des Canisius bis 1597 200 Auflagen.

Send und Sittenzucht

Im Westen des Reiches bestanden noch die Sendschöffenämter, deren Funktion mit der Sittenzucht der calvinistischen Presbyterien vergleichbar ist. Ihr Aufgabenbereich umfaßte alle die Vergehen, die als sündhaft empfunden wurden: Zu urteilen war v.a. über Sonntagsentheiligung, unziemliches Betragen in der Kirche, Verstöße gegen das Vierte Gebot, Fluchen, Gotteslästerung, Glücksspiel, Übertretung der Fastengebote, Wirtshausbesuche während der Messe, Ehebruch, Hurerei, uneheliche Geburten, Friedhofschändung, kleine Diebstähle, Versäumnis der Osterkommunion, der Christenlehre, Wahrsagerei, Zauberei. Karten-, Würfel- und Kegelspiele um Geld waren verbreitet, gespielt wurde auch zur Gottesdienstzeit. Die Sendgerichte bemühten sich um eine ethisch-moralische Besserung. Ihre Arbeit wurde allmählich sogar von den Archidiakonen forciert, die Wert darauf legen mußten, ihre eigene Nützlichkeit zu beweisen. Die Sendgerichte waren zwar wegen ihrer Bußen und Geldstrafen im Volk nicht besonders beliebt, sie stellten aber in Anbetracht der weitverbreiteten Zeitübel wie Trunksucht, Spielsucht, Streitsucht, Konkubinat, Wahrsagerei, Kurpfuscherei und ähnlicher Laster doch wenigstens ein einigermaßen wirksames Mittel der religiös-sittlichen Erneuerung des Volkes dar. Ihre Blüte erlebten sie überhaupt in der Zeit der Gegenreformation, also im 17. Jahrhundert.

Besonders im Bereich der Eheschließung brachte das Dekret

„Tametsi" des Trienter Konzils eine bedeutsame Neuerung: Zwar galt weiterhin aufgrund des Konsensprinzips, daß das Sakrament der Ehe grundsätzlich nur von und zwischen den Brautleuten gespendet werde, ohne daß die Eltern das verhindern konnten. Dennoch sollte von nun an eine Ehe nur gültig sein, wenn sie nach dreimaligem Aufgebot von der Kanzel und durch Austausch des Ehekonsenses vor dem Ortspfarrer und Zeugen geschlossen wurde. Damit wurde die Eheschließung an die Heimatpfarrei gebunden und in die Kompetenz der Kirche gezogen. Ehe: Dekret Tametsi

### *3.5 Schulen und Universitäten*

Für den Priesternachwuchs, für die Beamten des werdenden Verwaltungsstaates bedurfte es entsprechender Ausbildungsstätten. Jesuiten und Schulwesen bilden im Katholizismus den reformerischen Nexus: Die Jesuiten schufen und leiteten Gymnasien und Universitäten, wobei sie in Gestalt der nach ihnen benannten „Jesuitenuniversität" (zwei Fakultäten: Philosophie und Theologie, beide von Jesuiten geleitet) die konfessionelle Hochschule par excellence errichteten. Allein in Westfalen z.B. bauten sie sieben bedeutende Gymnasien auf: Paderborn 1585, Münster 1589, Osnabrück 1624, Siegen 1626, Coesfeld 1627, Meppen 1642, Essen 1666 [vgl. S. 30]. Auch andere Orden oder Ordenszweige betätigten sich rege im Bildungssektor: In Westfalen seit 1630 die Observanten mit Gymnasien in einer erklecklichen Reihe von Städten, ähnlich die Kapuziner. Jesuitengymnasien

Zwischen Gymnasien und Universitäten bestand ein gradueller, kein prinzipieller Unterschied. So entstand die Universität Dillingen als Gymnasium illustre mit mehreren Schulklassen, in denen elementarer Lateinunterricht geboten wurde, Grammatik, Rhetorik, Dialektik – wie im lutherischen Straßburger Gymnasium Johann Sturms. Auf der Universitätsebene folgte der Katholizismus mit einer Verspätung von mehreren Jahrzehnten den Protestanten durch die seit den 1550er Jahren in den geistlichen Staaten entstehenden Hochstiftsuniversitäten in Süd- und Westdeutschland, deren Vorbild die erste deutsche Jesuitenuniversität in Dillingen darstellte. Die evangelische und die jesuitische Bildungsreform schufen vergleichbare Typen humanistisch-frommer Universitäten. Das Bildungsziel war das gleiche: Frömmigkeit, Gelehrsamkeit und Beredsamkeit – „sapiens et eloquens pietas". Dillingen zog zwei Gruppen von Schülern an: Adlige und Religiose, d.h. Angehörige verschiede- Jesuitenuniversitäten ner Orden aus der Nachbarschaft, nämlich dem deutschen Südwesten, Tirol und der katholischen Schweiz, die es „tridentinisch gebildet" zurückschickte [266: SCHINDLING, Bildungsreform]. Die Jesuiten beeinflußten so indirekt in hohem Maß die Reform der klösterlichen Disziplin und Spiritualität. Sie stärkten bei den Religiosen, die sie in ihr Konvikt aufnahmen, das asketische Ideal mönchischen Lebens. Jesuitenuniversitäten gab es noch in Graz, Olmütz, Molsheim, Paderborn (seit 1616 Jesuitenuniversität) und Bamberg. Ihnen ähnlich war die Benediktineruniversität in Salzburg. Die Ausbildung von Seelsorgern stand deutlich im Vordergrund. Sie wurde zur Voraussetzung für eine Klerus- und Seelsorge-Reform. In Dillingen und in Molsheim waren in die Jesuiten-Universitäten auch die Diözesan-Priesterseminare einbezogen. Salzburg folgte diesem Beispiel. Anders als hier, in Schwaben und am Oberrhein, wo die Bischöfe die Träger der Reform und der katholischen Konfessionsbildung waren, bestimmte in Innerösterreich und Bayern wie im übrigen Deutschland eindeutig das landesherrliche Regiment die Initiative. Das Niederschulwesen wurde – ähnlich wie in Württemberg – nicht ausdrücklich gefördert, jedenfalls nicht im Sinn einer systematischen Alphabetisierung.

# D. Deutschreformierte Kirchentümer

## 1. Entstehung

Die evangelische Kirche bestand im Reich nicht nur in Form der lutherischen Landeskirche, sondern aus ihr entwickelte sich mancherorts eine liturgisch strengere, stärker antikatholische und schärfer auf die kirchliche Sittenzucht achtende Denomination, die Elemente des Calvinismus mit weitgehend staatskirchlichen Strukturen verschmolz. Den ersten Schritt zum Konfessionswechsel Richtung Reformiertentum ging die Kurpfalz 1563. Sie vertiefte und radikalisierte zum Teil aus der lutherischen Phase vorhandene Ansätze, wobei sie auf Traditionen der oberdeutschen Reformatoren (Bucer) und Calvins zurückgriff. In zügigen Schritten erfolgte eine Konfessions- und Kirchenumbildung: 1563 entstand die kurpfälzische Kir-

Kurpfalz: reformierte Kirchenbildung

chenordnung durch Caspar Olevianus, die den Heidelberger Katechismus (ohne doppelte Prädestinationslehre) von Zacharias Ursinus enthielt, 1564 die Kirchenratsordnung, die die äußere Kirchengestalt regelte, 1570 die Kirchenzuchtordnung. Die Tatsache, daß die Mehrheit der „Augsburgischen Konfessionsverwandten“ die Kurpfalz auf dem Reichstag 1566 trotzdem als eine der ihren anerkannte, schuf einen, wenn auch prekären Spielraum innerhalb des evangelischen Lagers, durch den auch die reformierten Konfessionswechsel reichsrechtliche Duldung erfuhren.

Orte und Daten reformierter Konfessionalisierung

Eine solche reformierte Konfessionalisierung erlebten die Grafschaft Neuenahr (1566 und 1581), Limburg (Versuche 1570), die Grafschaften der Wetterau (Nassau-Dillenburg, Sayn-Wittgenstein 1577/78, Solms-Braunfels 1582, Teile von Isenburg 1584 und Wied 1589), dann die Reichsstadt Bremen (1581), die rheinische Unterherrschaft Moers (1581), die Grafschaften des westfälisch-niederrheinischen Kreises (Tecklenburg, Steinfurt, Rheda 1587/88) und Büren (1568-1613, dann rekatholisiert) und Pfalz-Zweibrücken, Hanau-Münzenberg (1595), Isenburg-Büdingen (1596), Anhalt (1596), Oberpfalz (1595-1598), Lingen (1597), Bentheim (1597), Pfalz-Simmern (1598), Baden-Durlach (1599, kurzfristig), die Grafschaft Lippe (1604), Hessen-Kassel (1604), Holstein-Gottorf (1610), Brandenburg (1613 – nur das Kurfürstenhaus), Mecklenburg-Güstrow (1618, vorübergehend), bis 1619 auch einige relativ unabhängige Fürstentümer in Schlesien (Wöhlau, Liegnitz, zuletzt Brieg). Ein Sonderfall ist Ostfriesland, wo sich wie in den Vereinigten Herzogtümern Kleve-Jülich-Berg und in der Grafschaft Mark eine reformierte Kirche von unten bildete.

Es handelt sich also vor allem um Grafschaften im Westen des Reiches. Zentren waren das Rheinland und die Pfalz, eine zweite Region bildeten die Wetterauer Grafschaften und Hessen-Kassel, eine dritte Westfalen (Lippe, Bentheim-Tecklenburg), eine vierte Schlesien und Mähren.

Anknüpfungspunkte für den Ausbau des lutherischen Kirchenwesens zu einem reformierten gab es viele. Der humanistische, erzieherisch orientierte, im Abendmahl und bei der Frage der Guten Werke mit seiner Betonung einer Pflicht zur Tätigkeit den reformierten Schweizern nahestehende Philippismus (Anhänger Philipp Melanchthons), der in einer Reihe von Territorien zur Verweigerung der Unterschrift unter die Konkordienformel führte, war ein solcher Ansatz. Einen anderen lieferten entsprechende organisatorische Umsetzungen wie eine strengere Kirchenzucht, z.B. in der noch

Philippismus als Anknüpfungspunkt

Bezeichnung „deutschreformiert"

lutherischen Kirchenordnung Nassaus von 1570. Liturgische Reinheit und sittliche Strenge, verankert in der Allianz von calvinistischen Presbyterien und obrigkeitlicher Kirche, kennzeichnen diese Konfessionalisierung, die man – in Absetzung von den oppositionellen Kirchenbildungen der Hugenotten – „deutschreformiert" nennt. Die deutschreformierte Konfessionalisierung ist gekennzeichnet durch einen späten verordneten Bildersturm. Selbst Orgel- und Kirchenmusik waren zeitweilig verpönt. Die Altäre machten schlichten Abendmahlstischen Platz, einfache Becher genügten für den Wein. „Die wenigen Neubauten wuchsen zu einfachen Predigtkirchen, waren auf die Kanzel ausgerichtete ‚Hörsäle'. Selbst einen Lutheraner fröstelte, wenn er sie betrat" [52: SCHILLING, Deutschland, 300].

## 2. Grundlagen

dogmatische Grundlagen

Calvin sah Altes und Neues Testament viel stärker, als Luther dies tat, als eine Einheit. Die ganze Bibel sollte für den Gläubigen normativen Charakter haben. Daraus ergab sich die weitaus stärker gesetzliche Schriftauffassung des reformierten Protestantismus. Sie verband sich mit einer Gotteskonzeption, die die Majestät Gottes betonte, zu einer theokratischen Weltanschauung. Gott ehren hieß nicht wie bei Luther „Gott vertrauen", sondern „Gott gehorchen". Gott ruft zur Tätigkeit, zur Einhaltung seiner Gebote ohne Wenn und Aber. Diese Forderung steigert sich bis hin zu dem Aufruf, die Welt zum Reich Gottes auf Erden zu machen. Ein christlicher Fundamentalismus und ein strenger Rigorismus kennzeichnen die calvinische Lehre. Mit dem Luthertum verbindet die Theologie Calvins oder Bezas zwar die Verwerfung der Guten Werke als für das Heil verdienstliche Eigenleistungen des Gläubigen. Dennoch spielt der tätige Gehorsam auch im Bereich der Rechtfertigung eine zentrale Rolle. Hier sei nur auf den „Syllogismus practicus" hingewiesen, nach dem der Glaube zwar zur Seligkeit genügt, aber für den Gläubigen und die Umgebung nur erkennbar wird, wenn er sich als „wirksamer Glauben" bewährt in der Einhaltung der Gebote. Die Erwähltheit (Prädestination) des einzelnen zur Seligkeit wird offenbar, wenn er fähig ist, ein ganzes Leben zu Gottes Ehre zu führen. Aus der Heiligung der einzelnen wird die Kirche zur Gemeinschaft der Heiligen, welche die „Epikuräer" ausgrenzt und verfolgt. Eine strenge Zucht ist deshalb das Kennzeichen der wahren Kirche.

Syllogismus practicus des Calvinismus

„Neu war ... die Idee, daß das Reich Gottes auf Erden aufzubauen und dafür die ganze Apparatur der Staatsführung in Bewegung zu setzen sei. Dadurch kam ein Eifer und Fanatismus in das politische Handeln, wie ihn Luther oder die Anglikaner niemals zuwege gebracht hatten" [101: ZEEDEN, Konfessionsbildung, 279].

Von der Idee her unterwirft diese Konzeption den Staat einem theokratischen Anspruch, faktisch dient sie ihm auch in Verfolgung seiner Erziehungsziele und seiner Sittenpolicey. Entscheidend aber ist, daß Calvin eigentlich die Staatsform gleichgültig war, wenn der jeweilige Staat nur in seinem Sinne wirkte. Wo der Calvinismus sich in der Minderheit befand, verlangte er Toleranz und Minderheitenrechte (für sich), wo er Staatsreligion wurde, war er um seines eigentlichen Zieles willen intolerant. Der Anspruch auf Verchristlichung der Welt konnte einerseits dem Staat, der an Zucht und Ordnung interessiert war, zugute kommen, er konnte aber andererseits auch zu radikaler Staatskritik führen. Bemerkenswert ist dabei, daß vor allem jene calvinistischen Kirchen eine parallele, von der Einzelgemeinde her aufgebaute Kirchenordnung schufen, die wie die Hugenotten, die Schotten, Puritaner u.a. keine Chance hatten, den Staat für sich einzusetzen. Nach calvinistischer Vorstellung ist die Einzelgemeinde schon in vollem Sinne die ganze Kirche. Sie regiert sich durch eigene Leiter (Älteste, Presbyter) und schließt sich mit anderen Gemeinden zu Synoden zusammen. Dieser „demokratische" Aufbau wurde durch die Föderaltheologie entscheidend gefördert, nach welcher der Bund Gottes mit seinem Volk, in dem es ihm Gehorsam gelobt, dem Bund des Volkes mit seinen Regenten vorausgeht und diesen zweiten Bund zum Auftragsverhältnis (Mandatarvertrag) macht: Die Regenten sind Delegierte des Volkes zur Errichtung des Gott gelobten Reiches des Gehorsams auf Erden. Der bedeutende deutsche Staatstheoretiker Johannes Althusius (1563-1638) hat diese calvinistischen Prinzipien konsequent zu einem ständestaatlichen Gegenentwurf zum fürstlichen Absolutismus ausgebaut [vgl. McCoy, in: Dahm, K.-W./Krawietz, W./Wyduckel, D. (Hrsg.), Politische Theorie des Johannes Althusius, Berlin 1988, 187-199]. In der calvinistischen Theologie und Ethik steckt also ein zweifacher Kern: einerseits die Forderung nach Selbstbestimmung und Mitregierung der unteren Stände, andererseits die Pflicht zu bedingungsloser Unterwerfung unter theokratische Ansprüche. Die Verflechtung von Kirche und Staat, wobei dem Staat konzeptionell eine dienende Rolle zukommt, konnte sich zugunsten einer staatlichen Intensivierung auswirken: So gilt, „daß Calvin der monarchi-

Ziel: Theokratie

Föderaltheologie versus Obrigkeitsstaat

staatliche Intensivierung

schen Obrigkeit ein reichstes Instrumentar der Machtausübung in die Hände spielte. Unter der Voraussetzung des rechten Bekenntnisses zeigte er sich bereit, der Monarchie Befugnisse anzuvertrauen, die gegebenenfalls noch über das hinausgingen, was Katholizismus und Luthertum einem konfessionell sattelfesten Fürsten zugestanden" [101: ZEEDEN, Konfessionsbildung, 281].

Die staatskirchliche Variante der reformierten Lehre und ihrer theokratischen Konzeption wurde besonders von Zwingli und Erastus entwickelt. Sie unterscheidet sich von der genuin calvinischen dadurch, daß sie den Staat zum Herrn der Kirche macht, ähnlich wie im Luthertum, dem allerdings die theokratische Idee völlig fehlt. Die zwinglisch-erastianische Konzeption verwirklichte sich in den deutschreformierten Kirchentümern.

## 3. Aufbau und Funktion

Entzwinglianisierung nach 1525

Daß sich die reformierte Kirche aus dem Luthertum entwickelte und nicht direkt aus dem Zwinglianismus, kann nur durch die Vertreibung des Zwinglianismus aus dem Reich in den 1530er/40er Jahren verstanden werden. Der radikale Frühzwinglianismus, dessen theokratische Rigorosität von den siegreichen Fürsten 1525 mit dem Bauernkrieg in Verbindung gebracht worden war, hatte sich in der Zeit der Restauration im Reich nicht halten können. Die bislang praktisch nicht untersuchte „Entzwinglianisierung" ist von grundsätzlicher Bedeutung [SCHMIDT, H.R., Die Häretisierung des Zwinglianismus im Reich seit 1525, in: Blickle, P. (Hrsg.), Zugänge zur bäuerlichen Reformation. Zürich 1987, 219-236]. Sie macht deutlich, daß auch das Luthertum eine andere „Konfession" verdrängt hat, also nicht sozusagen die „natürliche" Konfession der Menschen war, gegen die sich gebietsweise katholische und deutschreformierte Konfessionalisierung vollzogen hätten.

Die Tatsache, daß die reformierte Konfessionalisierung – zuerst in der Pfalz 1563 – innerhalb schon organisierter lutherischer Kirchentümer erfolgte, führte von vornherein dazu, daß sie unter den bestimmenden Einfluß der landeskirchlichen Organisationsform geriet. Im Vergleich zu Genf bedeutete dies vor allem eine einschneidende Reduktion der Gemeindeverfassung und Kirchenzucht. Beide wurden im Sinne einer besonders straffen obrigkeitlichen Reglementierung umgestaltet.

### *3.1 Widerstände*

Die deutschreformierte Konfessionalisierung „entsprach ... keinem – wenn auch nur vage artikulierten – Bedürfnis der Untertanen. Es war ein äußerst unpopulärer, mit vielen Risiken behafteter herrschaftlicher Akt" [315: SCHMIDT, „Zweite Reformation", 195]. Dieser Widerstand war selbst in Gegenden weit verbreitet, welche die lutherische Reformation von oben verordnet bekommen hatten und dabei still geblieben waren. Die Veränderungen im Zuge des Konfessionswechsels riefen die herkömmlichen Formen bäuerlichen und städtischen Widerstandes hervor. Die Konflikte gingen tiefer, als es auf den ersten Blick scheint. Hier standen sich eine Gesellschaft, die ihre Selbstregierung in Dorf und Kirche gewohnt war und Pfarrer und Küster als Dorfbeamte betrachtete, und der Herrschaftsanspruch des frühmodernen Staates gegenüber, der eine Selbstversammlung des Dorfes als Aufruhr betrachtete und den Pfarrer als Mann der Zentrale einsetzte. Die Grafschaft Lippe ist in bezug auf die deutschreformierte Konfessionalisierung gut untersucht. Hier leisteten anfangs die Städte Detmold, Blomberg, Horn und Salzuflen Widerstand, Lemgo hielt länger durch und war schließlich sogar erfolgreich. Auch die ländlichen Gemeinden haben sich gewehrt. Doch wurden sie rasch niedergedrückt. Die vier kleineren Städte und die Dörfer waren etwa seit 1620 reformiert. Der Widerstand in Form von Gottesdienst- und Abendmahlsverweigerungen ließ nach. Visitationen und Katechese verankerten allmählich den Calvinismus in der Bevölkerung. Der Fall Lemgo, den HEINZ SCHILLING intensiv untersucht hat, macht offenbar, daß nicht nur und nicht vor allem die Magistrate handelten, sondern daß wie in der Reformationszeit der gemeine Mann aktiv wurde und sich gegen den Konfessionswechsel wehrte. Lemgo behauptete seinen lutherischen Status und wurde im Röhrentrupper Rezeß 1617 quasi eximierte Stadt [312: Konfessionskonflikt, 352]. Eine Parallele dazu gab es in der bentheimischen Herrschaft Rheda im lutherischen Gütersloh. Ebenfalls erfolgreichen Widerstand leistete die Oberpfalz. Pfarrer und Gemeinden wehrten sich einmütig und konnten trotz der Einsetzung von reformierten Predigern das Luthertum behaupten. Am Widerstand der Kirchen und Gemeinden scheiterte der Konfessionswechsel auch in Schleswig-Holstein, Baden-Durlach, Brandenburg. Offene Ablehnung bis hin zum Aufruhr, wenn auch ohne Erfolg, gab es auch in Nassau, Wittgenstein, Leipzig. In Berlin brach 1614 ein Volksaufstand los, als in der Domkirche eine Re-

deutschreformierte Konfessionalisierung unpopulär

bäuerlicher und städtischer Widerstand

form des Kirchenwesens in reformiertem Sinne versucht wurde, Unruhen brachen in Kursachsen aus, in Hessen-Kassel und den Wetterauer Grafschaften. Auch im Mutterterritorium, der Rheinpfalz, kam es zu Widerstandsaktionen, als nach einer Phase der Relutheranisicrung 1577-1583 der Weg zurück zum Calvinismus eingeschlagen wurde. Nun verteidigten die Gemeinden das Luthertum in gleicher Weise wie 1577 den Calvinismus als ihre ureigenste Konfession. Sieben Jahre hatten einen völligen Meinungsumschwung bewirkt.

### *3.2 Kirchenorganisation*

staatsferne Kirchentümer (Emden, Ostfriesland, Mark)

In den wenigen autochthonen reformierten Kirchentümern wie Mark oder Ostfriesland schlossen sich die Kirchgemeinden zu Regional- und Provinzialsynoden zusammen, ohne daß ein landesherrliches Kirchenregiment gebildet worden wäre. Als exemplarisch kann die Stadt Emden gelten, in der aus einer Freiwilligkeitskirche eine republikanische Staatskirche entstand. In Ostfriesland setzten sich die Stände gegen den Landesherrn durch, entzogen ihm die Steuer und das Gerichtswesen. Hier war Raum für eine obrigkeitsfreie reformierte Kirche [313: SCHILLING, Sündenzucht]. Die Gemeinde selber war Träger und nicht nur Objekt der Kirche: Die lokale Kirche regierte sich im wesentlichen selbst und autonom. Generalsynode, Provinzialsynode und Klassenkonvent griffen erst subsidiär ein.

Staatskirchentümer (Pfalz)

Die Regel bildeten jedoch reformierte Staatskirchentümer obrigkeitlicher Prägung. Ihr Aufbau und ihre Funktion kann am Beispiel der Kurpfalz verdeutlicht werden. Die Kirchenordnung vom 15.11.1563, die den Schritt zur reformierten Konfession vollzog, setzte als Zeichen dieses Wechsels: Predigt auf der Basis des Heidelberger Katechismus, Wegfall der Zeremonien beim Gottesdienst. Zugleich erschien eine Policeyordnung, die das gesamte Kirchenwesen unter den Schutz der landesherrlichen Gesetze stellte und das sittliche Leben der Untertanen reglementierte. Die Kirchenratsordnung von 1564 schuf eine Behörde zur Kirchenleitung mit einem weltlichen Beamten als Vorsitzendem, die den Konsistorien der lutherischen Landeskirchen stark ähnelte. Die Gerichtsbarkeit wurde dem Kirchenrat bewußt entzogen, ihm wurde nur die Wahrnehmung der iura in sacra überlassen. Die Ehegerichtsbarkeit übernahmen die weltlichen Eherichter. Das Amt des Generalsuperintendenten wurde abgeschafft und die Inspektoren/Superintendenten

**Reformierte Kirchenverfassung der Kurpfalz um 1600**
(vereinfacht)

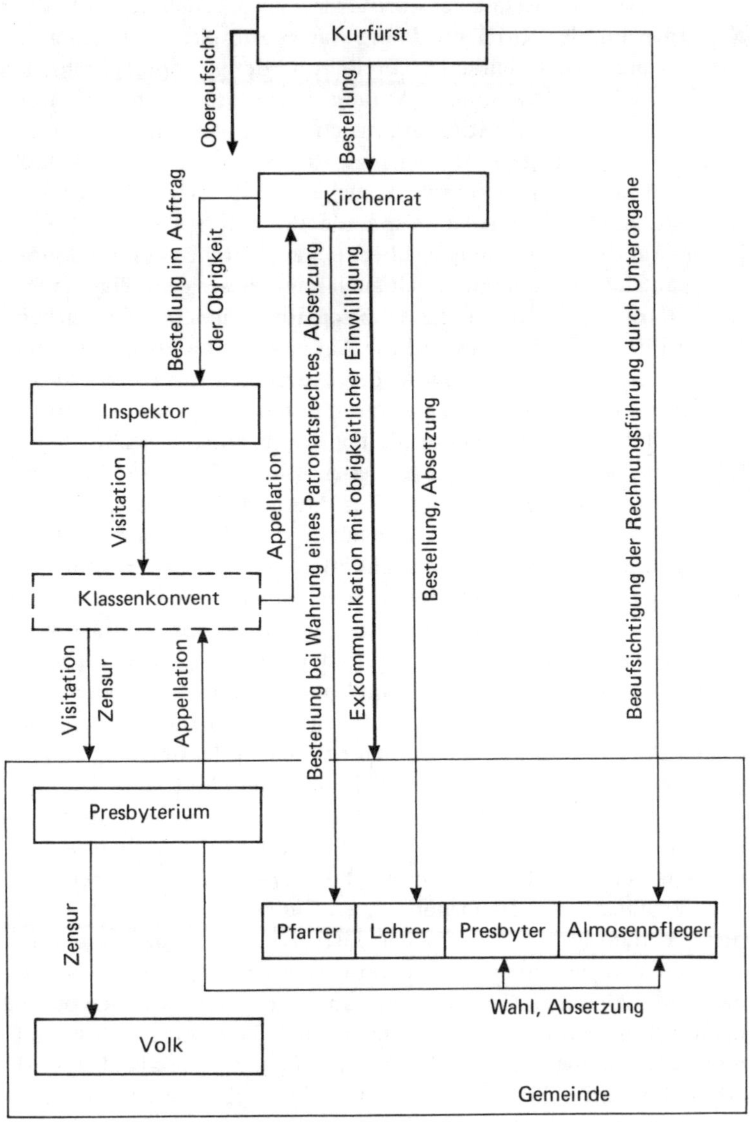


*Abb. 3* – nach 43: JEDIN/LATOURETTE/MARTIN (Hrsg.), Atlas, 75.

direkt dem Kirchenrat unterstellt. Ein Presbyterium auf Kirchgemeindeebene gab es zunächst nicht: Es entstand eine landesherrliche Konsistorialverfassung wie im Luthertum ohne Kirchenälteste [289: Friedrich, Gestalt der kurpfälzischen Kirche]. Schon bei der Konzipierung der Kirchenordnung war es zum Streit zwischen Anhängern der staatskirchlichen Zürcher und der gemeindekirchlichen Genfer Richtung gekommen. Anfangs siegte die Zürcher Richtung (Thomas Erastus – „Antidisziplinisten") über die „Disziplinisten" (Olevian und Zuleger). 1570 gelang es den Disziplinisten jedoch, den Kurfürsten auf ihre Seite zu ziehen. 1570 erging die Kirchenzuchtordnung, die in jeder Gemeinde Presbyterien schuf, die den Lebenswandel der Gläubigen überwachen, Kirchen- und Schuldiener beaufsichtigen sollten. Doch auch nach dieser gemäßigt genferischen Ordnung blieb die letzte Entscheidung in Zuchtfragen beim Landesfürsten. Zudem bestand die Aufgabe der vier bis acht Sittenrichter eines jeden Ortes darin, den Amtleuten die Übertreter der Policeyordnung zu melden, sie waren deren Augen und Ohren. Sie selbst sollten mit dem Pfarrer die Fehlbaren ermahnen und sie notfalls vom Tisch des Herrn ausschließen. Eine öffentliche Exkommunikation konnte aber nicht ohne Zustimmung Heidelbergs erfolgen. Kennzeichnend – besonders gegenüber dem Luthertum – ist von nun an die Existenz der Kirchenältesten oder Presbyter, ferner die Zusammenfassung von Pfarreien eines Amtes zu einer Klasse (Untereinteilung einer Superintendentur), deren Pfarrer sich monatlich zu einem Klassikalkonvent zu treffen hatten. Begleitet wurde der Aufbau der „Zweiten Reformation" durch Maßnahmen, die denen der Gegenreformation stark ähnelten: Die lutherischen (und katholischen) Pfarrer des Landes wurden entlassen oder umerzogen, viele trotz Widerstandes aus den Gemeinden (Amt Mosbach, Lampertheim, Umstadt, Alsheim) des Landes verwiesen. Lehrmäßig waren die Kirchengesetze der Jahre 1563-1570 calvinistisch. „Was sodann die kirchlichen Verfassungsansätze betraf, so schimmerte bei ihnen das Vorbild der Genfer Ordonnanzen Calvins von 1561 zwar bis in den Wortlaut hinein durch. Aber deren Kernstück, das System der sich selbst regierenden und verantwortenden Gemeinde, übernahmen die pfälzischen Gesetze nicht. Sondern: Alles, was sie von den Genfer Einrichtungen im einzelnen, zum Teil wörtlich, übernahmen, unterstellten sie einer kirchlichen Leitung, die als obrigkeitliche Behördenkirche die sogenannte Schlüsselgewalt (das ist Autonomie) der Gemeinde praktisch aufhob und damit dasjenige Verfassungselement beseitigte, das für Calvin ein Wesenszug der Kirche

Kirchenzucht

war. Durch diesen Abstrich suchten die pfälzischen Kirchenverordnungen den reformierten Glauben mit dem landesherrlichen Kirchenregiment zu verbinden … Sie schufen damit, was nicht verkannt werden darf, das Paradigma einer Kirchenverfassung, die gerade für Deutschland in seinen reformierten Teilen typisch werden sollte" [59: ZEEDEN, Zeitalter der Gegenreformation, 234 f.].

reduzierte Rolle der Gemeinden im Kirchenaufbau

Eine enge Verwandtschaft mit der pfälzischen wies die bentheimische Kirchenverfassung auf, bei der eine presbyteriale Form durch einen konsistorialen Überbau ergänzt worden war. Auch in Hessen geriet die Kirche unter den Einfluß der landesherrlichen Kanzlei, als die Generalsynode, die „kircheneigene" Leitungsinstanz, seit 1582 nicht mehr zusammentrat. Die „Verbesserungspunkte" von 1610 führten das Werk durch die Schaffung eines landesherrlichen Konsistoriums zu Ende, das die presbyterial-synodalen Elemente in der Kirche vollends an den Rand drängte. In Lippe kamen Presbyterien gar erst im weiteren Verlauf des 17. Jahrhunderts, endgültig 1684 auf. In Niederhessen und der Pfalz besaßen sie kein Exkommunikationsrecht, und Klassenkonvente bestanden nur dem Namen nach. Am weitesten dem Vorbild einer „von unten nach oben" aufgebauten Kirche entsprach noch Nassau-Dillenburg, wo sich das Recht der Obrigkeit formell darauf beschränkte, die Generalsynode einzuberufen. Doch auch hier war die Kirche keineswegs unabhängig, und die Bedeutung des Konsistoriums wuchs ständig [305: MÜNCH, Zucht und Ordnung, 165, 170 f.]. Diese Spannung zwischen gemeindekirchlichen Elementen und Landeskirchentum kennzeichnet auch die Wetterauer Grafschaften insgesamt und Pfalz-Zweibrücken.

### *3.3 Ziele der Laienreform*

Lasterkataloge

Die Zehn Gebote und die biblischen Lasterkataloge bestimmten auch in den reformierten Territorien die Laienreform. Die Zuchtordnung für die Gemeinde nach der kurpfälzischen Kirchenratsordnung von 1564 setzte zwar diese biblischen Maßstäbe an, betraute mit ihrer Exekution allerdings in erster Linie die Organe der Lokalverwaltung, also die Amtleute, Schultheißen usw.. Sie wurden beauftragt, die Einhaltung der kurfürstlichen Policey- und Sittenmandate zu überwachen. Dieses Verfahren ähnelt dem württembergischen Typus der lutherischen Sittenzucht. Eine kircheneigene Sittenzucht, so glaubte der Kurfürst wohl, erübrige sich. Dennoch sah die Kirchenratsordnung auch ein System geistlicher Strafen (Abendmahlsausschluß, Verweigerung der Patenschaft) vor, das zu weltlichen Strafen noch hinzukam. Schwere Sünder wurden auf Zeit exkommuniziert. Der Exkommunizierte mußte sich innerhalb eines Jahres um die Aussöhnung mit der Gemeinde bemühen. Wer wegen leichterer Sünden und ohne von der Obrigkeit strafrechtlich verfolgt zu sein vom Abendmahl ausgeschlossen war, konnte vom Pfarrer privat wieder zugelassen werden. Zunächst gibt es aber, wie gesagt, keine Anhaltspunkte für eine Organisation der Gemeinde in den Anfangsjahren, besonders nicht für ein Konsistorium auf Gemeindeebene. Erst 1570 traten Presbyterien ins Leben. Sie funktionierten als eine Art „Frühwarnsystem" für die staatliche Sittenpolicey [315: SCHMIDT, „Zweite Reformation", 196]. Die Presbyterien – und das scheint der wichtigste Unterschied zur lutherischen Kirche zu sein – steigerten die Strenge der Sittenzucht, die ja theologisch einen weit wichtigeren Stellenwert gewonnen hatte.

Exkommunikation

strengere Zucht

### *3.4 Schulen und Universitäten*

Die herrschende Meinung bescheinigt dem Calvinismus einen Hang zur Alphabetisierung des Volkes und eine besondere Erziehungsfreudigkeit. Die Kirchen- und Schulordnungen richteten ihr Augenmerk auf die Vermehrung und Verbesserung der deutschen Schulen. Jedes Kirchspiel sollte eine Grundschule haben, die durch die städtischen Latein- oder Trivialschulen ergänzt und durch eine Hohe Schule abgeschlossen wurde. Hessen und Nassau geben beeindrukkende Beispiele für ein Schulsystem, in dem neben den konfessionell ausgerichteten Universitäten auch Dorfschulen als Ausbildungsstätten für Jungen und Mädchen einen wichtigen Platz einnahmen. Das Nassauer Schulsystem wurde zum Modell für Wittgenstein, Solms-Braunfels, Wied, Isenburg, Hanau und Sayn [301: MENK, Territorialstaat und Schulwesen]. Reformierte Universitäten waren oder wurden als solche neu gegründet Heidelberg, Herborn (1584), Marburg (1605 calvinisiert), Hanau (1607), Bremen (Akademie 1610). Die Vorliebe auch für die untersten Stufen des Schulsystems wäre, wenn sich diese Aussagen durchgängig als richtig erweisen sollten, doch bemerkenswert gegenüber den beiden anderen Konfessionen.

reformierte Liebe zum Niederschulwesen?

# II. Grundprobleme und Tendenzen der Forschung

Im Vergleich zur Reformation ist die Konfessionalisierung sehr schlecht untersucht. Diesen Eindruck teilen alle, die sich bemüht haben, Forschungspositionen zu markieren. HEINZ SCHILLING spricht von einem Schattendasein, in dem jene Umbruchsphase des nachreformatorischen 16. Jahrhunderts liege [93: Konfessionalisierung im Reich, 1]. RONNIE HSIA erscheint die Konfessionalisierungszeit als ein „illegitimes Kind der deutschen Historiographie", dessen Schicksal weithin in Dunkel getaucht sei [111: Social Discipline, 1, 3]. Für BERNARD VOGLER ist sie „eine fade Periode, eine Art glanzloser Zwischenakt" [57: Le monde germanique 2, 251]. FRANZ LAU klagt: „Aufs Ganze gesehen ist die Forschungssituation hinsichtlich der altprotestantischen Orthodoxie und insbesondere auch der Frühorthodoxie geradezu trostlos. Keine Zeit der Geschichte der evangelischen Kirche ist von der Forschung auch nur annäherungsweise so stiefmütterlich bedacht wie die Zeit unmittelbar nach der Reformation" [La vie religieuse dans les pays protestants de langue allemande à la fin du XVIe siècle, auf Deutsch in: Colloque d'histoire religieuse Lyon. Oktober 1963. Grenoble 1963, 101-115, 102]. In seinem Überblick über die Gesamtdarstellungen der Reformations- und Konfessionalisierungszeit hat MARTIN BRECHT die „grobe Vernachlässigung der Nachreformationszeit" gerügt [66: Gesamtdarstellungen, 119]. Und WINFRIED SCHULZE meint, das Interesse an dieser Epoche könne kaum aus sich heraus begründet werden [Einleitung zur Sektion „Möglichkeiten der Reichspolitik zwischen Augsburger Religionsfrieden und Ausbruch des 30jährigen Krieges" auf dem 34. Deutschen Historikertag 1982 in Münster, in: ZHF 10 (1983), 253-256, 253]. ERNST KOCH urteilt in seinem Aufsatz über den Philippismus: „Nur wenige Epochen der Kirchengeschichte sind in der Historiographie so mit Bezeichnungen wie ‚dunkel', ‚finster', ‚verknöchert' vorbelastet wie die, in welche die Geschichte des sogenannten Philippismus gehört" [173: Philippismus, 61]. Noch WOLFGANG SOMMER beklagt zu Recht, daß die Zeit der Orthodoxie zu den „am wenigsten erforschten Gebieten der protestantischen

geringe Forschungsdichte

Kirchengeschichte" gehört [196: Gottesfurcht und Fürstenherrschaft, 11]. Jeder Versuch, einen Überblick über die Forschung zu geben, hinterläßt das Gefühl des Ungenügens. Ungeachtet dessen versucht der folgende Teil, dem Gliederungsprinzip des Enzyklopädischen Überblicks folgend, Schlaglichter auf die Grundprobleme der Forschung und die Lösungsansätze zu werfen.

Interpretationen mit größerer Reichweite, die Forschungspositionen markieren, bieten die Gesamtdarstellungen, Einführungen und Überblicksdarstellungen, welche vor allem in den letzten Jahren zahlreich erschienen sind. Im folgenden Forschungsbericht wird deshalb in einem vielleicht ungewöhnlichen Maß auf solche handbuchartigen Darstellungen Bezug genommen, um das Bild, das die Titel zur eigentlichen Forschungsdiskussion bieten, zu verbreitern. Das Schwergewicht liegt dabei auf den allerneuesten Veröffentlichungen.

# A. Lutherische Kirchentümer

Schwerpunkte: politische und theologische Geschichte

Die generelle Feststellung, daß die Konfessionalisierung häufig als Theologie- und Theologengeschichte behandelt wird, wo nicht als Reichs- und politische Geschichte im engeren Sinne, trifft für das Luthertum in besonderem Maße zu. Über das religiöse Leben „für das spätere 16. Jahrhundert liegen befriedigende Vorarbeiten so gut wie überhaupt nicht vor" [Moeller, B., Das religiöse Leben im deutschen Sprachgebiet am Ende des 15. und am Ende des 16. Jahrhunderts, in: Comité international des Sciences Historiques Wien, 29.8.-5.9.1965, Rapports III. Wien o.J., 129-151, 130]. Die jüngste Veranstaltung in diesem Forschungsfeld, die der Verein für Reformationsgeschichte 1988 organisiert hat, versuchte, das ein wenig zu korrigieren und auch Probleme der Konfessionalisierung in sozialgeschichtlichem Horizont zu thematisieren. Hans-Christoph Rublack beklagte in seinem dort vorgetragenen Forschungsbericht die hier angesprochene Tendenz: „Die fast ausschließlich kirchengeschichtliche Forschung zur lutherischen Orthodoxie in Deutschland ist ... kaum anders weiterentwickelt worden als durch theologie- und wissenschafts-, gelegentlich auch frömmigkeitsgeschichtliche Einzelforschungen. Zu einer einordnenden weiterführenden Konzeptualisierung kam es selten" [Lutherische Konfessionalisierung, Manuskript 1, demnächst in: 184: RUBLACK (Hrsg.), Konfessionalisierung im Luthertum].

Die Forschungslage ist diesen Urteilen nach durch die Theologiegeschichte geprägt. Dies macht einen sozialgeschichtlich orientierten Forschungsüberblick besonders schwierig, aber auch wichtig und nützlich. Lediglich das Verhältnis von Staat und Kirche kann auf eine Tradition in der Geschichtsforschung zurückblicken.

## 1. Staat und Kirche – Staatskirchentum und Widerstandsrecht

Entgegen den ursprünglichen Intentionen Luthers vertraute das Luthertum auch die Kirchenleitung und -lenkung den politischen Herrschaftsträgern an [BLICKLE, P., Die Reformation im Reich. Stuttgart 1982, 154-156]. Als Rechtsnachfolger der Bischöfe verfügten die lutherischen Fürsten über das gesamte Kirchengut in ihrem Territorium, sofern es nicht reichsunmittelbaren katholischen Fürsten zustand. Sie übernahmen die geistliche Gerichtsbarkeit und die kirchliche Gesetzgebung in ihre Zuständigkeit. Die Kirchenzucht wurde dem staatlichen Erziehungsanspruch dienstbar gemacht [44: KLUETING, Zeitalter, 145-159]. Daß die lutherischen Kirchen „stramme Staatskirchen" waren, ist durchgängig herrschende Lehrmeinung [59: ZEEDEN, Zeitalter der Gegenreformation, 224]. Die kirchenrechtliche Doktrin gab dieser Aufwertung der fürstlichen Gewalt den Titel „Summepiskopat". Dadurch verwischten sich die Grenzen zwischen Staat und Kirche, es kam zu einem „Ineinanderfließen von Polizei- und Kirchenordnungen der lutherischen Territorien" [50: RABE, Reich, 365]. Die weltliche Obrigkeit als „Wächter beider Tafeln des Gesetzes" konnte ihre Zwangsgewalt als gottgewollt darstellen. Widerstand wurde zum Akt der Auflehnung gegen eine göttliche Ordnung. Das Urteil, das Luthertum habe den Obrigkeitsstaat befördert, wenn nicht hervorgebracht, findet sich häufig [47: MOELLER, Deutschland, 119; 36: DÜLMEN, Europa, 257 und 58: WOHLFEIL, Reformation, 87; vgl. OBERMAN, H. A., Stadtreformation und Fürstenreformation, in: Spitz, L.W. (Hrsg.), Humanismus und Reformation als kulturelle Kräfte in der deutschen Geschichte, Berlin 1981, 88; 312: SCHILLING, Konfessionskonflikt, 380 f.; PRESS, V., Reformatorische Bewegung und Reichsverfassung. Zum Durch-

lutherische Obrigkeitskirchen

bruch der Reformation – soziale, politische und religiöse Faktoren, in: Ders./Stievermann, D. (Hrsg.), Martin Luther. Probleme seiner Zeit. Stuttgart 1986, 11-42, bes. 31-42].

An diesem bislang grundsätzlich unbestrittenen Urteil über das lutherische Staatskirchentum wird vereinzelt Kritik geübt. Sie konzentriert sich darauf, die enge Verbindung von Luthertum und Untertanengehorsam zu hinterfragen. Sie geht sogar soweit, eine lutherische Widerstandslehre zu postulieren. Beim Übergang zur reformierten Konfession entstand der verbreitete Widerstand ja in der Tat aus der Treue zur lutherischen Lehre: „In der frühneuzeitlichen Geschichte der Grafschaft Lippe hat der Calvinismus eine ‚Fürstenreformation' begründet, d.h. Herrschaft intensiviert und fürstlich-gräfliche Obrigkeit stabilisiert. Das Luthertum hingegen tritt als ‚Widerstandsideologie' eines Bürgerverbandes in Erscheinung" [312: SCHILLING, Konfessionskonflikt, 380].

lutherische Widerstandslehre?

WINFRIED SCHULZE [Zwingli, lutherisches Widerstandsdenken, monarchomachischer Widerstand, in: Blickle, P. (Hrsg.), Zwingli und Europa. Zürich 1985, 199-216] verfolgt die Linie vom lutherischen „Magdeburger Bekenntnis" von 1550 zur calvinistischen und monarchomachischen Widerstandslehre. Im Bekenntnis formulieren die Magdeburger Pfarrer angesichts des Augsburger Interims eine Konzeption, nach der im Falle, daß „die hohe Obrigkeit sich unterstehet, ... rechte Lere und Gottesdienst auffzuheben und auszureuten. So ist die unter Obrigkeit schuldig, aus krafft Göttlichs befehls wider solch der Obern fürnehmen sich sampt den ihren wie sie kon auffzuhalten" [ebd., 208]. Das Widerstandsrecht der „inferioren Magistrate" [der unteren Obrigkeiten] wird auch von den österreichischen Ständen in ihrem Kampf gegen die Rekatholisierung vertreten. Sie findet aber dort, in Gestalt des Ständeführers Tschernembl, und in Frankreich vor allem im Calvinismus eine Fortsetzung. Das Luthertum hat diese Ansätze nach Schulzes Meinung nicht fortgeführt, sondern im Gegenteil zurückgebunden.

Magdeburger Bekenntnis

LUISE SCHORN-SCHÜTTE hat die Konfessionalisierung gegen den Landesherrn, wie sie sich in Braunschweig-Wolfenbüttel abgespielt hat, analysiert [192: Lutherische Konfessionalisierung?]. Zunächst ein kurzer Faktenabriß: Im Grunde fürchteten die Stände und die Geistlichkeit – vielleicht unbegründetermaßen – eine calvinistische Umgestaltung des Kirchenwesens. Beide schlossen eine Koalition, in der die Geistlichkeit ihre Wächterrolle für die rechte Lehre auch theoretisch entwickelte. Diese Rolle gründet in der Tradition der Obrigkeitskritik im Luthertum und verbindet sich mit der quasi-

Standesbildung der Pfarrerschaft. Die Pfarrerschaft lehnte jedoch einen Widerstand der Gemeinde ab und reservierte sich das Widerspruchs-Recht. Obrigkeitskritik als Amtsauftrag blieb in den Händen der Befugten. Bei Bugenhagen findet SCHORN-SCHÜTTE eine solche Lehre vom Amtswiderstand ebenfalls: „Bugenhagens Bestimmung des Predigtamtes als ‚wachen Dienst am weltlichen Regiment' beinhaltet ein Widerstandsrecht gegen unchristliche Obrigkeit durch den Pfarrer in Vertretung seiner Gemeinde" [193: „Papacaesarismus", 236 f.]. Ob hier korrekterweise von einem Widerstandsrecht überhaupt gesprochen werden kann, mag man bezweifeln. Die Gläubigen dürfen jedenfalls nicht selbst aktiv werden: „Das Widerstandsrecht steht nicht der Gemeinde zu, steht offenbar auch nicht dem einzelnen Pfarrer zu, sondern dem Superintendenten und seinem Adiutor als denjenigen, die dieses Amt im Auftrag derer, die sie gewählt haben, führen" [ebd., 249]. WOLFGANG SOMMER [196: Gottesfurcht und Fürstenherrschaft, bes. 315-323] findet solche vielleicht besser „Widerspruchslehren" genannte Theorien auch bei Selnecker und Polykarp Leyser, beide Hofprediger in Dresden.

Widerstand als Amtsauftrag der Pfarrer?

SCHILLING hingegen vertritt die Auffassung, die Konfession werde in gleicher Weise wie von der Theologie von den sozialen, politischen und verfassungsmäßigen Konstellationen geprägt, und einiges im praktischen politischen Verhalten lutherischer Theologen geriere sich auch an der Theologie vorbei oder ihr entgegen als „lutherisch" [312: Konfessionskonflikt, 382 f.]. SCHILLING meint gegen die klassische Religionssoziologie, „daß der ‚politische und gesellschaftliche Charakter' einer Konfession nicht ausschließlich von ihrem Dogma und ihrer Spiritualität bestimmt wurde, sondern zu einem erheblichen Teil funktional gedeutet werden muß zu den übrigen Umständen des jeweiligen Gesellschaftssystems sowie der konkreten politischen Situation, innerhalb deren sie sich durchzusetzen und zu behaupten hatte ... Die eigenständigen Leistungsmöglichkeiten der geistig-religiösen Systeme werden damit relativiert, nicht prinzipiell in Frage gestellt" [ebd., 383]. Die Diskussion über ein lutherisches Widerspruchs- oder gar Widerstandsdenken steht aber erst am Anfang.

normative Kraft des Faktischen prägt Konfession

## 2. „Protestantischer Klerus“

Pfarrer als neuer Stand von Intellektuellen

Die vom „Priestertum aller Gläubigen“ recht weit entfernte Standesbildung der Pfarrerschaft ist ein allenthalben beobachtbares Phänomen [69: FRANZ (Hrsg.), Beamtentum und Pfarrerstand; 102: BAUER, Pfarrhaus]. In einer anderen Weise als der durch die Aura der Heiligkeit ausgezeichnete katholische Priester entrückt der evangelische Pfarrer dem Volk [36: DÜLMEN, Europa, 158]. Zwar lassen sich auch hier aus den Visitationsakten gravierende Mängel im sittlichen und seelsorgerischen Bereich feststellen [134: ZEEDEN, Kurpfalz, 53, 153]. Doch besserte sich die Lage rasch: Ende des Jahrhunderts waren 90 % des evangelischen Klerus im Rheinland universitätsgebildet, in der Pfalz stieg der Anteil von 52 % im Jahr 1550 über 85 % im Jahr 1590 auf 94 % im Jahr 1619, in Württemberg auf 75 %, in Zweibrücken auf 54 % und in Sponheim auf 58 %, in Straßburg hatten 1598 60 %, 1619 sogar 83 % den Magister [57: VOGLER, Le monde germanique, 327 f.; 145: BRECHT, Herkunft und Ausbildung]. Der Generalvisitation der Oberpfalz von 1579-1583 zufolge waren zwei Drittel aller Kirchendiener auf Hochschulen [292: GÖTZ, Wirren in der Oberpfalz, 38 f.]. Vorreformatorisch waren maximal 40 % des Klerus einmal an einer Universität immatrikuliert gewesen: „Wenigstens in protestantischen Territorien wurde der Klerus zu einer professionellen Klasse mit Bildung im modernen Sinn des Wortes. Man muß hinzufügen: Sie hat wiederum die intellektuelle Bildung (Doktrin) zu vermitteln vor allem gelernt“ [113: KITTELSON, Learning, 156]. Eine Verbesserung der Ausbildung des evangelischen Klerus läßt sich auch für Sachsen und Thüringen, und zwar deutlich schon vor der Jahrhundertmitte, nachweisen [168: KARANT-NUNN, Luther's Pastors, bes. die Übersichten über den Bildungsgang der evangelischen Pfarrer, 9-11; HÖSS, Humanismus und Reformation, in: 181: PATZE/SCHLESINGER (Hrsg.), Geschichte Thüringens 3, 75 f., 82-88, 126 f.].

Lutherischer und reformierter Klerus ähneln sich in ihrer berufsständischen wie ihrer Bildungsstruktur stark. Deshalb ist es auch sinnvoll, sie hier zusammen zu behandeln. Beide unterscheiden sich weitgehend vom mittelalterlichen Klerus [126: VOGLER, Clergé protestant, bes. 365-373]. Humanistisch gebildet widmet sich der Pfarrer oder Prediger der Seelsorge und der Predigt, sein eigener Habitus strebt nach Würde und moralischer Integrität. Zwar bleibt dieser Intellektuelle in engem Kontakt mit dem Volk, in dessen Mitte er lebt, zu dem er mit seiner Frau und seinen Kindern zählt. Die Pastorenfamilie wird zu einer neuen sozialen Wirklichkeit, kulturelles und soziales Zentrum der Gemeinde. Als Städter steht er dennoch der Kultur der einfachen Leute kritisch und distanziert gegenüber, als Funktionär des Staates vertritt er die erzieherische Politik des Fürsten. Das Modell des Beamtenstandes wird auch für den Pfarrer prägend [145: BRECHT, Herkunft und Ausbildung, 172-175; ECKHARDT, Beamtentum und Pfarrerstand in Hessen, in: 69: FRANZ (Hrsg.), Beamtentum 81–120, hier: 101-106, 113 f.; SCHIECKEL, Die Pfarrerschaft und das Beamtentum in Sachsen-Thüringen, ebd., 149-178, hier: 152 f., 157, 169-171; HEINRICH, Amtsträgerschaft und Geistlichkeit, ebd., 179-238, hier: 190-195; 117: PRESS, Soziale Folgen, 217 f., 232 f.]. Ein besonderes elitäres Bewußtsein kann ihn sogar aus der dörflichen Gemeinschaft entfernen und ihn ihr entfremden [126: VOGLER, Clergé protestant, 368; 94: SCHILLING, Differenzierungsprozesse, 168-172].

Pfarrer als Erziehungshelfer des Staates

„Es ist nicht verwunderlich, daß die Pfarrer am Ende des Jahrhunderts ihren Pfarreiangehörigen eine Religion vermittelten, die zumindest ebensosehr eine Sache des Kopfes wie des Herzens war" [113: KITTELSON, Learning, 156]. Diese intellektualisierte Glaubenshaltung verbreiteten sie – so KITTELSON – durchaus erfolgreich: Sie „implantierten eine höchst zerebrale Religion", und das Volk beherrschte „zumindest äußerlich die zentralen Lehren des Protestantismus" [ebd., 161]. Gerade diese Erfolgsmeldung hat einigen Widerspruch erfahren, auf den gleich einzugehen ist.

## 3. Lutherische Konfessionalisierung der Laien zwischen Anspruch und Wirklichkeit

Die Konfessionalisierung der Laien stellt für den hier diskutierten Zusammenhang die Gretchenfrage dar. Leider ist auf diesem Gebiet die Forschungslage trotz einiger bemerkenswerter Arbeiten besonders trostlos [81: MOLITOR, Frömmigkeit, 7 f.], was freilich auch in der Sache begründet liegt, lassen sich doch Frömmigkeit und Glauben schlecht messen. Selbst die Volkskunde hat – den Protestantismus als blasse Buchreligion betrachtend – dieser Epoche der Volkskultur kaum Aufmerksamkeit geschenkt.

So weit sich überhaupt allgemeingültige Aussagen abzeichnen, ruhen sie auf Angaben von Visitationen:

- In den evangelischen Gemeinden hielten sich hartnäckig

These 1: katholische Restfrömmigkeit überlebt

kleine bis wesentliche Reste katholischer Frömmigkeit, besonders im rituellen Verhalten und der „Religion als Aktion“ (Palmweihen, Salzweihen, Heiligenverehrung, Wallfahrten) [für Baden-Durlach, Kurpfalz und Oberpfalz 134: ZEEDEN, Kurpfalz, 43 und DERS., Katholische Überlieferungen, in: 101: DERS., Konfessionsbildung, 157]. Daneben bestanden in der lutherischen Liturgie, dem lutherischen Kirchen- und Eherecht und auf anderen Gebieten noch sozusagen „offiziell anerkannte“ katholische Reste, was es für den Laien schwer machte, zwischen Verbotenem und Erlaubtem zu unterscheiden. Die reformierten Theologen haben genau diese katholischen Reste angeprangert. Außerhalb des oberdeutschen Raumes knüpfte die Liturgie an die römische Messe an. Neben dem Gebrauch des Lateins stand noch eine Reihe anderer Riten, Gebärden und Bräuche, die nichts dezidiert Unevangelisches enthielten und die deshalb keinen Anstoß erregten [ZEEDEN, Katholische Überlieferungen, in: 101: 113-191]: Beichte (auch als Ohrenbeichte) und Absolution, Exorzismus bei der Taufe.

These 2: Mischreligion

Für die weitere Diskussion wird man diese Andeutungen in dem Sinn aufnehmen können, daß man außerhalb der Zentren der Reformation von einer Mischreligion ausgeht, in der ein mittlerer Kurs zwischen Protestantismus und Katholizismus gesteuert wurde. Die Befunde aus den anderen Konfessionen bestätigen diese Annahme – und zwar anfangs auch bei denen, die die rechte Lehre vermitteln sollten, bei den Pfarrern. Das Ergebnis der Lipper Visitation von 1549 läßt sich wahrscheinlich verallgemeinern: Selbst die Geistlichen waren unentschieden, beteten Brevier und fasteten, glaubten an drei bis sieben Sakramente. Überhaupt bekannten sie sich, von wenigen entschiedenen Lutheranern und Katholiken abgesehen, zu Auffassungen, die Elemente beider Konfessionen vereinigten [ZEEDEN, Grundlagen und Wege, in: 101: 67-112, 98]. Will man ein Bild von der Wirklichkeit erhalten, hat man weniger an die hochintellektuellen Führergestalten wie die städtischen Reformatoren oder dezidiert altgläubige Prediger und Priester zu denken, sondern an den Geistlichen unter dem Volk, der mit diesem viele der beklagten Verhaltensweisen und Einstellungen teilte.

These 3: Appetit auf das Magische

- Heidnische Bräuche, Wunder- und Aberglauben lebten fort [50: RABE, Reich, 327]. Sie wurden eher in die neue Kirchlichkeit integriert als von dieser abgestoßen, obwohl sie sich beim besten Willen nicht mit lutherischer Theologie vertrugen. BERNARD VOGLER beurteilt die Wirksamkeit des Protestantismus gegen das „Heidentum“ negativ: „Der äußerliche Konformismus … [der] Mehrheit kann nicht darüber hinwegtäuschen, daß sie sich die neuen Grundideen nur unvollkommen angeeignet haben, und daß sie die alte kosmische Konzeption der Religion nicht aufgeben wollen, und zwar trotz energischer Bemühungen der Behörden um Trennung von Religion und Magie. Fast alle Anstrengungen der Obrigkeit, die für Askese und Glaubensstrenge kämpft, müssen um 1619 in den rheinischen Territorien als gescheitert betrachtet werden ... Der Mißerfolg zeigt sich besonders deutlich bei den Bemühungen um ... die Beseitigung der irrationalen Praktiken, vor allem im therapeutisch-magischen Bereich" [127: Volksfrömmigkeit, 193].

These 4: kaum pädagogische Erfolge

- Glaubensunterweisungen, Katechismus- und Schulunterricht wurden mitunter gleichgültig betrachtet oder abgelehnt. Dabei muß man allerdings von ganz unterschiedlichen Schuldichten ausgehen. Franken scheint weit besser mit Schulen erschlossen gewesen zu sein als etwa das ernestinische und das albertinische Kernland Sachsen [147: Burkhardt, Schulvisitationen, 41, 62 f.; vgl. Thomas, Die Neuordnung der Schulen und der Universität Leipzig, in: 167: Junghans (Hrsg.), Sachsen, 113-131, bes. 118, 131]. Zum Teil herrschte erschreckende Unkenntnis in elementarem Glaubenswissen (Gebote, Glaubensartikel, Vaterunser) [147: Burkhardt, Schulvisitationen, 38]: „Ueberall gab es eine beträchtliche Zahl derer, denen man den Genuss des Sacramentes verbot, da sie die Hauptstücke des Glaubens nicht kannten. In Wercho konnten die Bauern weder beten, noch die Gebote und Glaubensartikel."

- Das sittliche Leben, dessen Bedeutung man auch für das Luthertum nicht unterschätzen darf, litt unter vielen Mängeln. Fluchen, Schwören und Zaubern hatten dabei den engsten Bezug zum religiösen Bereich. Das Fluchen war schier unausrottbar [127: Vogler, Volksfrömmigkeit, 193]. Ehebruch, voreheliche Sexualität und ein unchristliches Eheleben wurden beklagt.

Generalthese: lutherische Konfessionalisierung scheitert

Waren die Mängel und Gebrechen so verbreitet, daß man die lutherische Laienreform als gescheitert betrachten muß? Gerald Strauss verneint aufgrund einer Analyse der Visitationsprotokolle, „daß das einfache Volk nach einem Jahrhundert formaler religiöser Erziehung durch den Katechismus sich selbst lutherisch, katholisch oder auch nur christlich gefühlt hat. Die Leute wußten einfach viel zu wenig von Religion" [Lutheranism and Literacy: A Reassessment, in: Greyerz, K. von (Hrsg.), Religion and Society in Early Modern Europe 1500-1800. London 1984, 109-123, Zitat von 119; 123: House of Learning]. Die aus den Visitationsakten gesammelten und angehäuften Lasterkataloge stützen seine Schlußfolgerung, ein

Jahrhundert protestantischer „Indoktrination“ hätte wenig oder gar nichts im religiösen Bewußtsein der Menschen bewirkt [123: House of Learning, 299]. Den Kampf gegen eine sich hartnäckig wehrende Volkskultur [ebd., 302] verlor das Luthertum: „Wenn es sein Hauptziel gewesen ist, die Menschen – alle Menschen – wie Christen denken, fühlen und handeln zu lassen, sie mit christlichen Maximen zu erfüllen und zu einem christlich geprägten Leben zu führen, dann ist es damit gescheitert“ [ebd., 307; vgl. auch 124: DERS., Success and Failure, bes. 59-63].

Gegenthese: lutherische Konfessionalisierung erfolgreich

STRAUSS' negatives Urteil über den pädagogischen Erfolg des Luthertums ist bestritten worden. Die Kritik richtet sich einerseits gegen seine Annahme, das Luthertum habe „Perfektion als Standard“ [so auch 137: ABRAY, People's Reformation, 192] setzten wollen [Kritik von KITTELSON – 169: Successes and Failures, 173 und 109: HENDRIX, Luther's Impact, 14 – vgl. neuerdings 113: KITTELSON, Learning, 150-152]. Andererseits greift sie seine Quellenbasis als ungenügend und seine Quellenaufbereitung als einseitig an. JAMES KITTELSON hat Visitationsberichte aus Landgemeinden Straßburgs von 1553-1572 mit ganz anderen Ergebnissen ausgewertet als die von STRAUSS: „1. Die Reformation veränderte das religiöse Verhalten der Bevölkerung in der Umgebung Straßburgs grundlegend. 2. Zumindest die Jugendlichen erfaßten die neue religiöse Lehre recht schnell, insbesondere gilt das für den Katechismus, und sie wurden hinsichtlich ihrer formalen Glaubensüberzeugung Lutheraner. 3. Der Wandel in Glaube und religiösem Verhalten war leichter zu erreichen als Strauß dies darstellt. 4. Die konsequenten Erziehungsbemühungen der Kirche waren vergleichsweise wirksamer als die Zwangsmaßnahmen der Obrigkeit“ [169: Successes and Failures, bes. 154, deutsche Zusammenfassung 174 f.]. Die katechetische Bildung war ein „unzweifelhafter Erfolg“. Die Reformation „erlebte wenig Widerstand und viel Wertschätzung von der überwiegenden Mehrheit der Dörfer unter Straßburgs Regierung“ [ebd., 163 und 164]. Eindeutige Verbesserungen setzten bereits in den 1560er Jahren ein [ebd., 172]. SCOTT HENDRIX [109: Luther's Impact] untersuchte die Visitation Oldenburgs von 1609: Zwar fehlen nicht die Mängel und Gebrechen – nach denen suchten die Visitatoren ja -, aber der Katechismusunterricht in der Kirche oder der Schule führte eindeutig zu Erfolgen. Der Pfarrer konnte seine Predigten darauf aufbauen, Kinder waren in der Kirche, die ad hoc aus dem Katechismus rezitieren konnten [ebd., 5]. STEVEN OZMENT stellt einen tief ins Alltagsleben, besonders das Verhältnis von Mann und

Frau, eingreifenden Wandel fest, der zu mehr Partnerschaft und insgesamt zu einem christlicheren Lebenswandel geführt habe [116: Fathers, 50-56]. BRUCE TOLLEY [197: Württemberg] weist für Württemberg nach, daß Ende des 16. Jahrhunderts eine erfolgreiche lutherische Konfessionalisierung eingetreten war: „Im großen und ganzen bestanden harmonische Beziehungen zwischen Pfarrern und Gemeindemitgliedern, es herrschte einigermaßen Konformität in der Teilnahme am Kirchenleben, und ein signifikantes Maß an innerer Aneignung des protestantischen Glaubens war erreicht" [ebd., 235]. Schon GÖTZ hat in seiner Untersuchung zur Oberpfalz festgestellt, daß sich die Probleme um die Katechese und den Gottesdienstbesuch nach 1580 deutlich besserten – ebenso wie das sittliche Leben des Volkes [292: Wirren in der Oberpfalz, 72-79, 82-90]. JAMES KITTELSON bringt das auf den apodiktischen – STRAUSS umkehrenden – Satz: „Wenn die Frage nach Erfolg oder Scheitern bedeutet, ob die protestantischen Pfarrer ihre Botschaft den Laien vermitteln konnten, dann muß man schließen, daß sie dabei wirklich sehr erfolgreich gewesen sind" [113: Learning, 162].

Die Differenzen können methodisch begründet sein, sie können aber auch in unterschiedlichen Konfessionalisierungsgraden der untersuchten Regionen ihre Ursachen haben. Dennoch deutet sich an, daß die Laienreform des Luthertums schon kurz nach der Mitte des 16. Jahrhunderts Erfolge zu verzeichnen hatte. Man wird auch die von BERNARD VOGLER gewünschte Differenzierung diskutieren und zur Grundlage einer Interpretation machen können. Danach sind drei Gruppen von Menschen zu unterscheiden – deren Konfessionalisierung jeweils unterschiedlich ist:

soziologische Differenzierung der Erfolgsmeldung

1. eine Minderheit von „lokalen Notablen", die kirchlich und religiös engagiert sind und die Normen ihrer Konfession praktizieren. Man wird die soziologisch gemeinte „Notablen"-Bezeichnung durchaus kritisch hinterfragen dürfen, an der Existenz einer „frommen Fraktion" sollte man aber wohl in der Tat nicht zweifeln,

2. eine Minderheit von Atheisten und Indifferenten,

3. eine Mehrheit von Konformisten, die den einfachsten Weg in den Himmel suchen, aber formal eindeutig konfessionalisiert sind [127: Volksfrömmigkeit, 194; vgl. auch 129: DERS., Vie religieuse].

Zwischen der Position VOGLERS und jener der STRAUSS-Gegner besteht zwar ein gradueller Unterschied, Vogler ist insgesamt und besonders in bezug auf die Tiefe der Christianisierung etwas skeptischer, er ist aber zumindest von einer „formalen" Konfessionalisierung überzeugt. In einer Studie, die sich allerdings auf das Deutschreformiertentum bezog, hat er sogar eine Umprägung des Verhaltens festgestellt [318: VOGLER/ESTÈBE, Société protestante].

Die tendenziell auseinanderlaufenden Einzelerkenntnisse zu einem kohärenten und differenzierten Gesamtbild zusammenzufügen, ist der Forschung bisher nicht gelungen. Die notwendigen Gewichtungen vorzunehmen ist ein quellenkritisches Problem, das nicht leicht zu lösen sein wird. Entscheidende Hilfe könnte aus den Akten der Niedergerichte gewonnen werden. Wie in Schleswig-Holstein oder Dänemark läßt sich zum Beispiel für Württemberg nachweisen, daß die weltlichen Niedergerichte die Funktion von Sittengerichten wahrgenommen haben. Über die Bußenrödel oder die Gerichtsakten selber könnten quantifizierende Untersuchungen die nötige quellenmäßige Grundlage liefern [vgl. DAHLERUP, Sin, Crime, Punishment and Absolution. The Disciplinary System of the Danish Church in the Reformation Century, in: wie Nr. 113: GRANE/HÖRBY (Hrsg.), Die dänische Reformation, 277-287; 191: SCHNABEL-SCHÜLE, Kirchenzucht]. Die Württemberger Rüggerichte urteilten zum Beispiel über Gotteslästerung (Fluchen, Gottesdienstversäumnisse, Katechismusschwänzen, Sabbatschändung, Sektierertum), Zaubern, Wahrsagen, Uneinigkeit zwischen Eltern und Kindern, zwischen Eheleuten, über Ehebruch, Unzucht, Verschwendung, Trunksucht, Spielleidenschaft, Felddiebstahl, Wucher und Fürkäufe. Die Kirchenkonvente setzten diese Arbeit als dem reformierten Vorbild nachempfundene Spezial-Sittengerichte fort. Auch hier sollte für die Zeit nach der Mitte des 17. Jahrhunderts quantifizierbares Material vorhanden sein. Die Tatsache, daß in lutherischen Territorien Rüggerichte und andere weltliche Gerichte über Sünden urteilten, sollte zu einer stärkeren Quellenarbeit in diesem Bereich Anlaß geben [vgl. demnächst die Habilitationsarbeit von HELGA SCHNABEL-SCHÜLE].

Niedergerichtsakten als Quelle auswerten!

Bildungserfolge des Luthertums?

Die Erziehungspolitik als Bildungspolitik wird einhellig als die Domäne des Protestantismus und als ein Erfolgsfeld betrachtet. Dabei muß man allerdings betonen, daß es vor allem die Lateinschulen und Universitäten waren, die gefördert wurden, Institutionen also, die dem werdenden modernen Staat „professionelle" Beamte bereitstellten [300: MENK, Herborn, bes. 123, 283-294]. LEWIS SPITZ [122: Universities, 60-63], JAMES KITTELSON [113: Learning] und WILLIAM WRIGHT [133: Hessian Data] stimmen mit ANTON SCHINDLING in dem Urteil überein, die Reformation habe eine Verwissenschaftlichung herbeigeführt [188: Humanistische Hochschule, bes. 386,

395], die Bürokratisierung insgesamt vorangetrieben und so der Intensivierung der Staatlichkeit gedient. Es entstand eine recht homogene gebildete und selber stark konfessionalisierte Führungsschicht. Möglicherweise besitzt das Reformiertentum hierbei eine noch höhere Affinität zur Bildung – vor allem wenn sich nachweisen ließe, daß die reformierte Konfessionalisierung auch das Volksschulwesen (Deutsche Schulen) aufgewertet hat. In den Grafschaften Sayn und Nassau hat GERHARD MENK eine „Bildungsrevolution" im niederen Schulwesen festgestellt, die in der zweiten Hälfte des 16. Jahrhunderts auch die Dörfer erreichte – Menk spricht von einer „Verflächung" [301: Territorialstaat und Schulwesen, 192]. Der Wechsel zum Reformiertentum hat dabei eine Intensivierung des niederen Schulwesens gebracht – aber insgesamt doch nur auf kurze Frist [ebd., bes. 193, 197-199, 218 f.]. An der These von der Überlegenheit des reformierten Bildungswesens ist jüngst Kritik geübt worden. GERHARD SCHORMANN untersuchte seine Wirksamkeit am Beispiel der Elementarschulen [316: Bildungswesen]. Er kam zu dem Ergebnis, wo die reformierte Konfessionalisierung obrigkeitlich durchgesetzt werde, sei „eine Sonderentwicklung bei den deutschen Schulen zumindest im Verhältnis zu lutherischen Territorien bislang tatsächlich nicht erkennbar. Anders sieht es in einem Gebiet des Reiches aus, in dem der Calvinismus nicht als Landeskirche existierte, sondern als eine Konfession neben anderen" wie in Jülich-Kleve-Berg [ebd., 313].

# B. Katholische Kirchentümer

## 1. „Katholische Reform und Gegenreformation" – zur Begrifflichkeit

Seit HUBERT JEDIN hat sich der Doppelbegriff „Gegenreformation" und „katholische Reform" für zwei Teilphänomene der katholischen Erneuerung auch in der katholischen Forschung durchgesetzt [239: Katholische Reformation oder Gegenreformation?, bes. 80; vgl. 73: DERS., Reformationsgeschichte; 59: ZEEDEN, Zeitalter der Gegenreformation, 281 f.; 273: SCHRÖER, Kirche 1, 2]. Offensichtlich wird dabei, daß „katholische Reform" Überzeugungsarbeit der Kirche meint, während die „Gegenreformation" als antiprotestantische Rekatholisierung mittels Zwang auf die Machtmittel des Staates angewiesen ist. Die marxistische Forschung fällt ihr Urteil über diese Periode vom Blickpunkt der Reformation als Teil der „Frühbürgerlichen Revolution" aus. Die Gegenreformation wird zur „feudal-absolutistischen" Reaktion, zur „Konterrevolution" [77: LANGER, Religion, 113, zum Fehlen einer marxistischen Forschung kritisch ebd. 121]. Dies gilt aber für die „Fürstenreformation" in gleicher Weise, entbehrt also einer konfessionellen Stoßrichtung.

Marxismus: Gegenreformation = Gegenrevolution

Problematisch wird der Name „Gegenreformation", wenn er – ohne sein Pendant „katholische Reform" – die gesamte Epoche 1555-1648 kennzeichnen soll [ZEEDEN, Periodisierung, in: 101: 60-66, 60; vgl. 59: DERS., Zeitalter der Gegenreformation, 29 – so oder ähnlich in fast allen Handbüchern]. Hier bietet sich als Ersatz der Begriff „Konfessionalisierung" an, der weiter unten stärker thematisiert werden soll. Für den Katholizismus könnte „katholische Konfessionalisierung" das abdecken, was sonst unter diesem Doppelwort gefaßt wird, böte also einen Oberbegriff dazu an.

Alternativbegriff „Katholische Konfessionalisierung"

Ist „katholische Reform", wie sie in Trient als Auftrag formuliert wurde, Wirklichkeit geworden? Diese Frage richtet sich zunächst an den Klerus, denn wenn er nicht reformiert wurde, war Volkserziehung im neuen Geist undenkbar.

## 2. „Tridentinischer Klerus"

Das neueste Urteil zur Frage der Klerusreform stammt von AGOSTINO BORROMEO. Zwar stellt er generell fest, die Reformen hätten beim Klerus am stärksten gegriffen, er muß aber dabei europäisch-regional differenzieren: „In Mittel- und Osteuropa brauchte die tridentinische Reform länger, und ihre Ergebnisse waren eher weniger befriedigend. In vielen Diözesen des Reiches kam die Reform nicht vor dem Ende des Dreißigjährigen Krieges in Gang" [210: Tridentine Discipline, 250].

Einzelstudien bestätigen dieses Gesamturteil. PETER THADDÄUS LANG hat die Visitationsinterrogatorien des 16. und 17. Jahrhunderts untersucht. Er geht methodisch davon aus, was nicht mehr erfragt worden sei, sei sozusagen „abgehakt", also im Sinn der Reform durchgesetzt gewesen. Diese plausible, wenn auch nicht unproblematische Annahme wendet er an 65 Schriftstücken aus dem

Besserung des Klerus sittlich und religiös?

deutschsprachigen Raum an, deren größte Menge aus süddeutschen Bistümern stammt. Insgesamt werden aber mehr oder weniger alle katholisch gebliebenen Bistümer berücksichtigt, nämlich Augsburg, Bamberg, Basel, Eichstätt, Konstanz, Passau, Regensburg, Salzburg, Straßburg, Würzburg, Köln, Mainz, Trier, Münster und Paderborn, außerdem das Bistum Breslau; LANG verwendet schließlich auch das Interrogatorium einer landesfürstlichen Visitation der Steiermark [247: Visitationsinterrogatorien, 132]. 26 stammen aus dem 16., 39 aus dem 17. Jahrhundert. Lang vermutet aufgrund seiner Quellen eine Besserung in folgenden Bereichen:

- beim Gottesdienst, der Sakramentsspendung,
- der Einhaltung des Zölibats nach 1600,
- im sittlichen Verhalten (Kleidung, Spiel, Trunk, Jagd, Wirtschaftsunternehmungen) schon vor 1600,
- in den persönlichen Bet- und Beichtgewohnheiten des Klerus.

Weiterhin mangelhaft beurteilt wurden hingegen offensichtlich:

- die Qualität der Predigten (Besserung nach 1623),
- der Katechismusunterricht. Hier erwachte das Interesse der Visitatoren überhaupt erst nach 1612.

Erfolge schrittweise: 1. Sakramentsverwaltung 2. Lebenswandel 3. Predigten 4. Katechese

„Man hat den Eindruck," so bewertet LANG die Änderungen in der Amtsführung, „als habe innerhalb der Seelsorgetätigkeiten eine gewisse Hierarchie bestanden: Sobald die Mißstände auf den Gebieten der Sakramentsspendung und der Predigt einigermaßen behoben waren, wandte man sich dem Katechismusunterricht zu" [ebd., 139]. Für den Bereich „persönliche Lebensführung" konstatiert er: „Augenscheinlich haben die Disziplinierungsmaßnahmen zur Besserung des Lebenswandels im Laufe der Zeit ihre Wirkung nicht verfehlt. In entsprechender Weise scheinen sich auch die persönlichen Bet- und Beichtgewohnheiten des Klerus etwas mehr den Vorstellungen ihrer Kirchenoberen angepaßt zu haben" [ebd.]. Der Gesamttenor dieses Urteils ist vorsichtig-abwägend, aber sicher eher positiv, doch wird man festhalten müssen, daß erst nach 1600 durchgreifende Erfolge erzielt wurden.

Hahns Untersuchung des westtrierischen Pfarrklerus

Die vorzügliche sozialgeschichtliche Arbeit von ALOIS HAHN über den westtrierischen Pfarrklerus kommt zu deutlich negativeren Ergebnissen [230: Rezeption]. Von der kirchengeschichtlich begründeten Annahme aus, die tridentinische Reform habe ihren Ort in der Pfarrei, entwickelt er ein Szenarium über das Zusammenleben von Pfarrer, Gemeinde und Sendschöffen [ebd., 3-45], vor dessen Hintergrund er die Chancen und Ergebnisse der tridentinischen Reformen beurteilt. Dieser sehr nahe an die Wirklichkeit herankommende Zugang ist methodisch vorbildlich. HAHN stellt eine auch nach der Reformation fortwirkende „Verrechtlichung und Kommerzialisierung des Verhältnisses von Pfarrer und Pfarrei, und damit natürlich auch der Seelsorge" [ebd., 27] fest, die der tridentinischen Idee der Seelsorge diametral entgegen stehe. 1694 mußte der Trierer Erzbischof zugeben, daß das tridentinische Pfarrbefähigungsexamen in seiner Diözese noch nicht zur Anwendung gekommen sei [ebd., 45]. Diese globale Urteile provozierende Selbsteinschätzung wird von Hahn über die Visitationen von 1560, 1570, 1581, 1611, 1613, 1621, 1624, 1628, 1640, 1657/58, 1677/79 erhärtet. HAHN mißt an der „Sorge um das Heilige" (Hostien, Kircheninneres, Friedhof) den Erfolg der Reform: 60 Jahre nach dem Konzil von Trient herrschten noch gravierende Mängel in einem Bereich, der ja leicht in Ordnung gebracht werden konnte, z.B. wurden konsekrierte Hostien mit unbegreiflicher Gleichgültigkeit behandelt [ebd., 283]. „Mindestens bis zum Jahre 1628 blieben wesentliche Desiderata des Konzils in weiten Teilen des westtrierischen Pfarrklerus unerfüllt. Weder die persönliche Einstellung der Pfarrer noch ihr Umgang mit den ihnen anvertrauten heiligen Dingen entsprach im gewünschten Ausmaß den Erwartungen der Visitatoren" [ebd., 313]. Zwar wurden – nach Ausweis der Visitation von 1628 – die Predigtverpflichtungen zunehmend stärker erfüllt [ebd., 336-338]. Aber hinsichtlich der Katechese kommt HAHN zu ähnlichen Ergebnissen wie LANG: Die 1677 erfolgte große Visitation zeigte, „daß 90 Jahre Belehrung, Ermahnung und Drohung es nicht vermocht hatten, den Pfarrklerus in seiner Gesamtheit von der Notwendigkeit der Katechese für die Vertiefung des Glaubens und die Formung des christlichen Lebens zu überzeugen: fast die Hälfte der visitierten Pfarrer entsprach nicht den Erwartungen" [ebd., 351].

Indiz für Defizit: kaum Sorge um „das Heilige"

Katechese vernachlässigt

Im sittlichen Bereich zeichnete sich eine Besserung sehr langsam ab. Erst mit Beginn des 17. Jahrhunderts wurden ernsthafte Versuche unternommen, die Trunksucht, die im Klerus verbreitet war, zu bekämpfen [ebd., 358 f.]. Das Konkubinat, von dem 1560 nur wenige Fälle gemeldet worden waren, erreichte bei genauerer Visitation 1570 enorme Ausmaße, und noch 1677 war in dieser Hinsicht der Lebenswandel von 39 unter 150 Pfarrern und Priestern zu beanstanden [ebd., 365-377]. Das Endurteil fällt negativ aus: „Die theologische, katechetische und homiletische Bildung der Pfarrer bleibt das ganze 17. Jahrhundert hindurch insgesamt hinter den nicht gerade hohen Ansprüchen der Seelsorge zurück. Pastoraler Eifer, der über die Erfüllung der Amtspflichten hinausgeht, ist auch

sittliche Besserung langsam

am Ende des von uns anvisierten Zeitraumes keine allzu weit verbreitete Erscheinung. Predigt und Katechese, beides Grundpfeiler der Reform, kommen gegen die massive Abneigung bzw. die Unfähigkeit der Pfarrer und das Desinteresse des Volkes nur schwer zum Zug. Noch im letzten Drittel des 17. Jahrhunderts glaubten die Visitatoren den Seelsorgern die doppelte Belastung einer sonntäglichen Predigt und Katechese nicht aufbürden zu können" [ebd., 386].

Die Ergebnisse HAHNS stehen in gewissem Widerspruch zu denen MOLITORS für das Hochstift Trier [255: Reformversuche]. Molitor argumentiert wesentlich stärker vom Blickwinkel des Hofes und des Bischofs her. Er stellt fest, durch den Verzicht auf die vom Tridentinum geforderte Ausschaltung der Archidiakone sei ein massiver Widerstand von dieser Seite vermieden worden [ebd., 186]. Die dennoch bestehende Konkurrenzsituation zwischen Kapitel und Bischöfen führte zu zwei Seminargründungen in Trier durch das Domkapitel und in Koblenz (1585) durch den Bischof, war also durchaus fruchtbar im Sinne Trients [ebd., 144-146]. Obwohl die Visitation von 1569/70, die unter Beteiligung der 1560 ins Land gekommenen Jesuiten stattfand, im Bereich des Lebenswandels der Priester weitgehend unerfreuliche Zustände aufdeckte [ebd., 122-135, 138 f.] – die Bildung wurde gar nicht überprüft -, betont MOLITOR ihre reformerische Wirkung: Indem sie alle visitierten Kleriker auf die Professio fidei Tridentinae verpflichtete, habe diese Visitation den Ansatz zur Reform geschaffen [ebd., 126, 132 f.]. Er zieht insgesamt gar ein positives Fazit der seines Erachtens „ganz tridentinisch geprägten" Kirchenreform [ebd., 186]: „Der Kirchenreform Johanns von Leyen [1556-1567] und besonders Jakobs von Eltz [1567-1581] und Johanns von Schönenberg [1581-1599] ist der Erfolg nicht versagt geblieben, wenn auch nicht überall bei Klerus und Volk alle Mängel beseitigt werden konnten und noch nicht alle Amtsträger ihre Pflicht so erfüllten, wie es nötig war. Nachlässigkeit und Pflichtvergessenheit, in Jahrzehnten zur Gewohnheit geworden, ließen sich nicht in wenigen Jahren aus der Welt schaffen, und manche Reformmaßnahmen konnten erst viel später wirksam werden" [ebd., 188]. Die Beschränkung auf die unmittelbare Bistumsleitung und ihre Reformmaßnahmen [ebd., IX-XI] führt jedoch dazu, daß MOLITOR weitgehend auf der normativen Ebene argumentiert und die Probe aufs Exempel nicht vollzieht. Während Molitor also den Impulsen nachspürt, testet Hahn deren Wirkungen. Das Verfahren HAHNS erscheint insgesamt überzeugender und ist sicher für die weitere Forschung wegweisend.

Widerspruch zu Molitors Ergebnissen

tridentinische Reform erfolgreich

allgemeine Urteile: Erfolge erst nach 1600

HAHN stützt mit seiner Untersuchung das Urteil HUBERT JEDINS, wonach die tridentinische Reform sich insgesamt erst seit Anfang des 17. Jahrhunderts allgemein durchgesetzt habe [42: ISERLOH/GLAZIK/JEDIN, Reformation, 549]. Für andere Räume bestätigt ERNST WALTER ZEEDEN den Befund: Am Hochrhein (Kaiserstuhl, Breisgau, Schwarzwald) waren 1550 Trunksucht, Waffentragen, nächtliches Randalieren, Vernachlässigung des Gottesdienstes weit verbreitet [ZEEDEN, Grundlagen und Wege, in: 101: 67-112, 81 f.], in der Diözese Speyer ließen die Geistlichen Kirchen und Pfarrhäuser verfallen, vernachlässigten die Predigt, sogar die Messe und die Sakramentsspendung; vielerorts gab es keine Christenlehre; die meisten Priester lebten im Konkubinat, viele waren dem Trunk verfallen (Visitation 1583-1588) [202: AMMERICH, Speyer und Straßburg, 297-301]. Die Visitationen 1683 und 1701 lieferten dann etwas günstigere Ergebnisse. Vor allem das Bildungsniveau der Weltgeistlichen hatte sich deutlich gehoben. Doch konnte man dem Klerus immer noch pauschal vorwerfen, daß er nur vierzehntäglich oder monatlich predige und die Katechese vernachlässige [ebd., 309 f.]. Das Bistum Straßburg entspricht diesem Befund weitgehend: „Die ersten Visitationen nach dem Abschluß des Trienter Konzils haben in beiden Bistümern das Bild eines in großem Maße unfähigen, zum Teil auch unwürdigen Klerus gezeigt, dessen Nachlässigkeit in religiösen Angelegenheiten und dessen Lebensführung sich negativ auf das religiös-sittliche Leben der Gläubigen auswirken mußte“ [ebd., 327; vgl. HAHN, K., Die kirchlichen Reformbestrebungen des Straßburger Bischofs Johann von Manderscheid (1569-1592). Straßburg 1913, bes. 120 f.; so auch 215: CHÂTELIER, Contre-Réforme, 139 f.]. Noch 1680 hatte nur die Hälfte der Seelsorger ein Seminar oder eine sonstige höhere Schule besucht [215: CHÂTELIER, Contre-Réforme, 146]. Selbst in Tirol erbrachte die Visitation 1570 einen negativen Befund: Die liturgischen und pastoralen Fähigkeiten und Kenntnisse der visitierten Kleriker waren gering, 80 % lebten im Konkubinat; dabei bestand ein einschneidender Klerikermangel [NOFLATSCHER, Tirol, Brixen, Trient, in: 53: SCHINDLING/ZIEGLER (Hrsg.), Territorien 1, 86-101, 95]. Auf die mißliche Lage der katholischen Konfessionalisierung wirft gerade das positiv gemeinte Urteil HEINZ NOFLATSCHERS über die Lage in Tirol ein bezeichnendes Licht: „So war um 1600 das Fazit aus der Sicht des Landesfürsten und der alten Kirche bereits günstig, die Bilanz in der nachtridentinischen Katholisierung des Landes im gesamten schon positiv. Der Bildungsgrad des niederen Klerus steckte zwar erst noch in den Anfängen, das kirchliche Skandalon des Konkubinates war noch verbreitet. Doch schien in Tirol wie in Bayern oder in der Republik Venedig vor allem die Kooperation der herrschenden Kräfte, des Landesfürsten mit den Bischöfen, des Bischofs von Trient mit jenem von Brixen wegen des deutschsprachigen Anteils seiner Diözese, Konfessionalisierung erheblich rascher als anderswo vorangetrieben zu haben" [ebd., 97]. Im Bistum Eichstätt war nach der Generalvisitation von 1601/1602, abgesehen vom verbreiteten Konkubinat, auch die Sorge um das Heilige gering: Paramente in erbärmlichem Zustand, Friedhöfe und Kirchenböden unordentlich, das Allerheiligste in einfaches Leinen gewickelt, Meßbuch und Brevier weitgehend unbekannt, weltliche Kleidung verbreitet, das neue Eherecht gegenüber den Gemeinden nicht angewendet. Insgesamt also waren die Auswirkungen des Tridentinums gering, eine echte Durchführung erfolgte erst nach dem Dreißigjährigen Krieg [BUCHERNER, Das Bistum Eichstätt und das Konzil von Trient, in: 272: SCHREIBER (Hrsg.), Trient 2, 93-117, 112 f.].

Problemfelder:
- Konkubinat
- nachlässige Amtsführung
- mangelhafte Bildung

In Mainz waren die Ergebnisse der Visitation der Stifte vom November 1594 „geradezu niederschmetternd": „der Gottesdienst wurde überall sehr vernachlässigt, fast die Hälfte aller Stiftsherren waren Konkubinarier. In den Pfarreien stand es zwar besser, aber hier versäumten die Altaristen oft ihre Pflicht" [BRÜCK, Das Erzstift Mainz und das Tridentinum, in: 272: SCHREIBER (Hrsg.), Trient 2, 193-243, 234]. Die Kurkölner Visitation von 1569 – so AUGUST FRANZEN – bietet „ein erschütterndes Bild vom inneren Zustand der Gemeinden und der Lage der Pfarrer" [227: Herausbildung des Konfessionsbewußtseins, 175]. Ein Drittel lebte im Konkubinat, Laienkelch und offene Beichte waren üblich geworden, Wallfahrten, Prozessionen, Exequien für die Toten, die Krankenölung außer Übung gekommen [ebd., 176]. Aus dem Hochstift Paderborn berichtet die Visitation des Dompropstes Wilhelm von Westfalen in seinem Archidiakonatssprengel 1575, daß alle visitierten Pfarrer Konkubinarier waren [273: SCHRÖER, Kirche 1, 163 f.]. Laut der Visitation 1569 im Vest Recklinghausen lebten nur vier von 42 Pfarrern und Vizekuraten zölibatär, ein wesentlich ungünstigeres Ergebnis als in den 118 visitierten rheinischen Pfarreien, wo nur ein knappes Drittel nichteheliche Verbindungen eingegangen war [ebd., 207]. Die Bistumsvisitation im Hochstift Münster 1571-1573 ergab, daß 115 von 225 Geistlichen den Zölibat gebrochen hatten. Förmliche Ehen hatten davon nach eigener Angabe 8 geschlossen [ebd., 312]. 1600 waren in Münster die Reformbemühungen kaum einen Schritt weiter gekommen [14: IMMENKÖTTER, Protokolle, 13]. Im Hochstift Osnabrück verminderte sich die Zahl der Zölibatsvergehen so langsam, daß sie erst nach 1655 auf den Synoden nicht mehr berührt wurden [273: SCHRÖER, Kirche 2, 80]. Die Einbürgerung der Katechese, neben der Predigt die Nahtstelle zur Volkserziehung, war äußerst schwierig. Im Hochstift Osnabrück z.B. mußte der Bischof noch in den fünfziger Jahren des 17. Jahrhunderts die Vernachlässigung der Christenlehre rügen [ebd., 82 f.]. In den fürstenbergischen Territorien begann die Reform erst nach 1600 überhaupt sichtbar zu werden: „Die eigentliche Reformarbeit setzte erst nach 1600 ein" [282: THOMA, Fürstenberg, 203, vgl. 202-206; zur Priesterausbildung 232: HEGEL, Priesterausbildung, 280-282].

Bayern und Würzburg: früher erfolgreich, weil energischer

Besser scheinen nach Ausweis der Visitationsakten die Lage des Priesternachwuchses und seine Qualität in Bayern gewesen zu sein [15: LANDERSDORFER (Hrsg.), Freising – vgl. 277: SCHWAIGER, Religionspolitik, 264-267]. Aus einer regionalen Differenzierung könnte sich also die Stärke der katholischen Kirche in Bayern erklären, ohne daß die allgemeine Schwere des Priesterproblems verwischt würde. Würzburg scheint in ähnlicher Weise etwas früher als andere Diözesen Erfolge in der katholischen Reform erzielt zu haben. Die Priesterreform, so die Ergebnisse der Untersuchung von PETER THADDÄUS LANG, griff seit 1600. In Mergentheim, wo 1583-1599 46 % der Priester im Konkubinat gelebt hatten, fiel der Anteil 1600-1615 auf 8 %, 1616-1631 auf 4 %.. Die Beichthäufigkeit der Pfarrer besserte sich ebenso wie ihre Amtsführung, soweit es die Sonntagsmesse betraf, während Werktagsgottesdienste und der Katechismusunterricht, die beide überhaupt erst 1600 genauer visitiert wurden, länger Kopfzerbrechen bereiteten. Gegen 1630 war die Reform des Klerus aber im wesentlichen erfolgreich abgeschlossen. Der Buchbesitz des Klerus nahm deutlich zu. Das Volk wurde wirkungsvoller erfaßt: Seit 1600 wurden Kirchenbücher geführt, 1605 schon gingen praktisch 100 % der Bevölkerung zur Osterkommmunion [246: LANG, Mergentheim, 149, 151-153, 160, 164-167].

neue These Molitors: Es gab keine tridentinische Reform

Sogar grundsätzliche Bedenken gegen die Annahme einer tridentinisch geprägten Reform im Reich meldet neuerdings HANS-GEORG MOLITOR an – in erkennbarem Gegensatz zu seiner Arbeit über Trier [255: Reformversuche, bes. 186]. Er geht von einem engen Begriff der „tridentinischen Reform" aus, die seines Erachtens, um den Namen zu verdienen, die Verkündung des Tridentinums auf einer Synode verlangt und eine besondere Unterwerfung unter den Papst voraussetzt [254: Die untridentinische Reform, 404]. Bis

1592 war in diesem Sinne weder in Mainz, noch in Würzburg, Straßburg, Konstanz, Hildesheim, Augsburg, Speyer und Eichstätt das Tridentinum verkündet [ebd., 419]. Die deutsche „katholische Reform" war nach MOLITOR eine „untridentinische". Untridentinisch an den deutschen Reformen war vor allem, daß es nicht gelang, die konkurrierende Gewalt der Domkapitel und der z.T. in ihnen vertretenen Archidiakone zu brechen oder zugunsten des Bischofs zu instrumentalisieren. Der Kampf gegen die archidiakonalen Ansprüche auf Selbstregierung wurde in den süddeutschen Bistümern im 16. und 17. Jahrhundert, in den norddeutschen nicht vor dem Ende des Alten Reiches zugunsten der Bischöfe entschieden [14: IMMENKÖTTER, Protokolle, 6 f.; 235: HENGST, Paderborn, 56]. Die Wiederaufnahme der Visitationstätigkeiten und der Sendgerichtsbarkeit durch die Archidiakone diente zwar auch der katholischen Reform, die aus der Konkurrenzsituation entstandenen Reibungsverluste trugen aber sicher zu ihrer Verlangsamung bei [226: FRANZEN, Kölner Archidiakonate, 217 ff.; 14: IMMENKÖTTER, Protokolle, 7 f.; 235: HENGST, Paderborn, 48-56]. Das Versagen der Bischöfe, die selbst erst gegen Ende des Jahrhunderts einigermaßen dem Bild des Tridentinums zu entsprechen begannen, ist unbestritten ein gewichtiger Grund für das späte Einsetzen der katholischen Reform [vgl. 231: HAUSBERGER, Regensburg 1, 316-330], so daß sogar GEORG MAY nicht umhin kommt, die „Ernennung Ungeeigneter zu Bischöfen" als wesentliches Hemmnis der katholischen Erneuerung zu betrachten [249: Bischöfe, 663 f.].

Die Frage nach der Reform des Klerus ist wegen ihrer engen Beziehung zur Frage nach der Laienreform besonders wichtig [so auch 235: HENGST, Paderborn, 65]. Wo die Seelsorger ihre Aufgabe wahrnahmen, entsprach das Leben der Gläubigen nach Ausweis der Visitationen am ehesten den kirchlichen Geboten. Wo nicht, wo diese gar im Glauben schwankten, waren Erfolge der Reform nicht zu erwarten. Die Zahl der Osterkommunikanten, die ein brauchbares und statistisch tragfähiges Indiz für die Kirchlichkeit darstellt, unterlag in direkter Korrelation zu den Bemühungen der Pfarrer gewaltigen Schwankungen [273: SCHRÖER, Kirche 1, 466 f.].

## 3. Katholische Konfessionalisierung der Laien zwischen Anspruch und Wirklichkeit

Verchristlichung des Sozialverhaltens erstrebt?

Auch bei den Laien bezog sich die Reform sowohl auf die „Frömmigkeit“ als auch auf die „Sittlichkeit“. „Christentum, d.h. christliches Tugendhandeln, wurde in der jeweiligen Konfession klar definiert und sodann zur Richtschnur des menschlichen Lebens erhoben. Bereiche, die bisher im Leben der einfachen Menschen nichts mit Religion zu tun gehabt hatten, wurden nun unter die Maxime christlicher Lebensführung gestellt: Ehe, Sexualität, Kleiderluxus, Völlerei, Tanzen, Kegeln, Würfeln, Kartenspiel, Geburt, Tauffeste, Totenwache, Maifest, Karneval, Arbeitseinteilung, Freizeitgestaltung“ [208: Becker, Konfessionalisierung in Kurköln, XIX]. Wenn diese Behauptung Beckers auch für den Bereich der Ehe und der Sexualität kaum geteilt werden kann, so ist ihr doch insofern zuzustimmen, als die sittliche Lebensführung auch im Bereich der katholischen Kirche strenger kontrolliert wurde, von der Kirche und dem Staat. Genauso stark muß man aber betonen, daß dabei die Anforderungen an den Christen nicht exakt so weit gingen wie im Luthertum oder gar dem Reformiertentum. Tanzen war nicht verboten, Kirchweihen blieben erlaubt, Alkoholtrinken wurde offensichtlich weniger streng geahndet, Spielen in Grenzen toleriert etc. Leider fehlt es auch hier an vergleichenden Untersuchungen, die ein einigermaßen zutreffendes Bild von der katholischen Laienreform ermöglichten [247: Lang, Visitationsinterrogatorien, 131]. Die Annahme, auf das sittliche Leben der Gemeinde hätten die katholischen Pfarrer wenig geachtet, und das soziale Leben zu disziplinieren habe dem Klerus ferngelegen, die van Dülmen vertritt, ist in dieser Einseitigkeit sicher nicht richtig [36: Europa, 149 f., 154]. Aber eine relative Toleranz den Eigenheiten der Volkskultur gegenüber spiegeln die Visitationsinterrogatorien doch wider: Selten, aber doch mit steigender Tendenz im 17. Jahrhundert treten Fragen nach dem Gottesdienstbesuch, nach der Sonn- und Feiertagsheiligung, nach der Einhaltung der Fastengebote und nach dem Besuch des Schul- und Katechismusunterrichts auf. „Die Visitatoren waren demnach mehr und mehr an einer stärkeren Teilnahme der Bevölkerung an religiösen Übungen interessiert. Recht wenig hingegen kümmerten sich die Kirchenaufseher darum, wie es sonst um die Moral der Gemeinden bestellt war. Sofern sie sich überhaupt damit auseinandersetzten, sahen sie zumeist nur auf sexuelle Verfehlungen

Katholizismus treibt Sozialdisziplinierung – aber weniger streng und daneben noch gelegentlich auf abergläubische Praktiken wie Zaubern oder Wahrsagen. – Ihre Augen wurden hierbei im 17. Jahrhundert um eine Kleinigkeit schärfer" [247: LANG, Visitationsinterrogatorien, 141]. Dort, wo es einen Send gab, spielte er für die religiöse und sittliche Besserung der Gläubigen eine wichtige Rolle [208: BECKER, Konfessionalisierung in Kurköln, 254 und 261].

Sexualzucht erfährt Widerstand

Besondere Schwierigkeiten machte die Durchsetzung des Trienter Ehedekrets. In Kurköln, um ein Beispiel zu nennen, stieß die Verkündigung des Dekrets auf erhebliche Schwierigkeiten. 1598 wurde die Verkündung des Dekrets beschlossen, erst 1627 war es allenthalben verkündet. 1651 und 1662 wurde die Proklamation erneut anbefohlen. Die Bevölkerung und die Pfarrer leisteten lange Zeit Widerstand gegen die tridentinische Neuerung. Er war erfolgreich, weil der Archidiakon die Bauern, die am alten Brauchtum festhalten wollten, unterstützte. Noch im 18. Jahrhundert war der Kampf gegen die Winkelehe bzw. nichttridentinische Ehen nicht endgültig abgeschlossen [ebd., 286-289]. Gerade in geistlichen Staaten fehlte es oft an moderner Staatlichkeit, die Neuerungen durchzusetzen, besonders, wenn sie in das Sozialleben eingriffen. „Das geistliche Fürstentum, klein, verschuldet und durch Kompetenzaufteilung zwischen Erzbischof und Ständen niemals zur ‚modernen' Staatsform des Absolutismus aufgestiegen, war einfach nicht in der Lage, dem obrigkeitlichen Befehl Respekt zu verschaffen" [ebd., 324]. Sichtbar wird hier eine katholische Kirche, die wie der Protestantismus sittlich-erzieherisch wirkt, wenn auch möglicherweise weniger streng in der Auswahl des Verbotenen, weniger rigoros in der Verfolgung der Laster und weniger rasch erfolgreich.

Volksfrömmigkeit: religiöse Mischformen katholisiert

Die verbreiteten konfessionellen Mischformen boten gerade dem Katholizismus Anknüpfungspunkte für seine Konfessionalisierung. Dabei kam dem Katholizismus seine relativ geringe dogmatische Strenge zugute. Ein Beispiel bietet die Kölner Visitation von 1569/70. Es handelte sich um eine sehr schnelle und oberflächliche Visitation. „Von den insgesamt 118 visitierten Pfarreien am Rheine waren 40 mehr oder weniger stark von antikirchlichen, täuferischen oder protestantischen, sei es lutherischen oder calvinischen, Ideen berührt. Vielfach aber verschwammen die konfessionellen Vorstellungen ineinander ... So machten etwa auch rein katholische Gemeinden und Pfarrer aus ihrer Abneigung gegen Zeremonien und Prozessionen keinen Hehl. Die Exequien für die Verstorbenen und das Sakrament der hl. Ölung wurden vernachlässigt und sogar direkt abgelehnt; bisweilen wurde auch die allgemeine Beicht anstelle der Ohrenbeicht praktiziert und anders mehr. Es zeigt sich, daß alle diese Dinge noch keine eindeutigen Zeichen häretischer Gesinnung waren, ebensowenig wie etwa das Verlangen nach Laienkelch und Priesterehe" [FRANZEN, Die Visitation im Zeitalter der Gegenreformation im Erzstift Köln, in: 28: ZEEDEN/MOLITOR (Hrsg), Visitation, 10-20, 16]. Der Niederrhein, wo sich die religiösen Ideen in den ersten Jahrzehnten relativ frei entwickeln konnten, hat möglicherweise exemplarischen Charakter für allgemeinere Tendenzen: Im Bewußtsein der Menschen war zunächst ein Trennungsgefühl nicht ausgebildet, die Konfessionalisierung hatte das „Niemandsland" [70: FRANZEN, Herausbildung des Konfessionsbewußtseins, 185] noch nicht erobert. Die konfessionelle Ambivalenz des Begriffs „Reform" ließ die weitere Entwicklung Richtung Protestantismus oder Katholizismus noch offen erscheinen. Seit den 1560er Jahren beschleunigte sich die Differenzierung; sie kam aber erst Anfang des 17. Jahrhunderts zum Abschluß [ebd., 208 f.]. Besonders lutherische Lieder scheinen beliebt und auch in sonst „katholischen" Pfarreien in der Kirche gesungen worden zu sein [273: SCHRÖER, Kirche 1, 168 f. – für das Hochstift Paderborn]. Konfessionalisierung kann geradezu als Ausdifferenzierung der liturgischen und religiösen Mischformen verstanden werden, wie sie sich vielerorts besonders im ländlichen Raum ausgebreitet hatten [274: SCHUBERT, Franken, 244-246].

Kirchlichkeit: erst im 17. Jh. allmählich steigend?

Ein Teilaspekt der Volksfrömmigkeit ist die Kirchlichkeit. Die Osterkommunion oder die Meßfrequenz bilden ein brauchbares Indiz für die Kirchlichkeit der Bevölkerung, die als eine sichtbare Ausprägung der Frömmigkeit im Sinn der tridentinischen Reform genommen werden kann [247: LANG, Visitationsinterrogatorien, 140 f.]. Die Kirchlichkeit wird nach der Analyse von LANG im 17. Jahrhundert, als die Nachforschungen nach Andersgläubigen nicht mehr den Stellenwert wie in der Anfangsphase der katholischen Konfessionalisierung hatten, zunehmend wichtig: nach der äußeren die innere Anbindung an die Kirche. In Kurköln kam es zwischen 1569 und 1743 stets und gleichbleibend bei einer Quote von 15-20 % aller Gemeinden zu Versäumnissen der Messe [208: BECKER, Konfessionalisierung in Kurköln, 160]. Doch ist hierin nicht die Zahl der Säumigen, sondern nur die Tatsache an sich erfaßt – eines der häufigen Quellenprobleme in diesem Bereich. Versäumnisse der Osterkommunion, die 1663 aus 25 % aller Gemeinden berichtet wurden, erreichten 1684 noch 10,9 %, 1703 5,6 %, 1715 4,9% und 1743: 5,8 % [ebd., 168]. Wallfahrten, Heiligenverehrung und kirchliche Feste, zum großen Teil in der Volksfrömmigkeit verankert, wurden von der Kirche gezielt und organisiert eingesetzt, um die Bevölkerung an sich zu binden [36: DÜLMEN, Europa, 149]. Mit der Belebung des Wunderglaubens begegnete die katholische Reform einem allmählich wieder ansteigenden Appetit auf das Heilige und kanalisierte das Magische in Richtung auf kirchlich gewollte Praktiken [111: HSIA, Social Discipline, 154 f.]. Gegenreformation und Volksfrömmigkeit rückten eng zusammen, ganz anders als beim Protestantismus, wo die disziplinierende Wirkung der Kirche und ihre Distanz zur Volkskultur betont werden [ebd., 155]. Die Konsequenz dieser Ansicht ist klar: Die Reformation erscheint als überflüssig, wenn nicht gar ungewollt vom Standpunkt der Volkskultur [81: MOLITOR, Frömmigkeit, 5]. Sie rückt nahe zum Staat und seinen Interessen, wird als Staatsaktion interpretiert – ganz gegen die Ansichten der Reformationsforschung.

Gesamturteil:
– Klerusreform erfolgreich
– Laienreform noch nicht im 16./Anfang 17. Jh.

BECKER kommt insgesamt zu einem negativen Urteil über die Frage nach dem Erfolg der katholischen Laienreform: „Der Erfolg der katholischen Reform war, gemessen an ihren eigenen Anforderungen, im ländlichen Bereich des kurkölnischen Oberstifts vielfach nur an der Oberfläche zu sehen. Darunter wucherte eine Schicht aus Brauchtum, altem Recht, Unbeweglichkeit und Beharrlichkeit, die oft genug den Reformideen jedes weitere Vordringen verwehrte" [208: Konfessionalisierung in Kurköln, 316-323]. Während die Reform des Pfarrklerus, so sein Urteil, erfolgreich war, scheiterte die Reform der Laien. Dieses Urteil erstaunt etwas, weil Bereiche wie die Meßdisziplin oder die Sonntagsarbeit, die der Verfasser nun als Begründung für sein negatives Urteil heranzieht, von ihm zuvor positiv gewertet worden waren. ALOIS HAHN bestätigt für den trierischen Raum das negative Urteil über Sonntagsheiligung und Arbeitsruhe [230: Rezeption, 35 f.]. Für die katholische Ehelehre präzisiert er es: Zwar wurde die Einsegnung nun zur Regel, die Sexualmoral der Kirche wurde jedoch nicht adaptiert [ebd., 322]. Nonkonformismus und Reformfeindlichkeit dominierten. Selbst im straff organisierten Salzburg mit seinen absolutistischen Zügen herrschte eine Mixtur aus Katholizismus, Sektierertum, Aberglauben und Antiklerikalismus, aus der heraus sich die Bevölkerung der von der Regierung gewaltsam betriebenen Rekatholisierung widersetzte. Die katholische Reform gewann erst ab 1600 nennenswert an Boden [ZEEDEN, Salzburg, in: 53: SCHINDLING/ZIEGLER (Hrsg.), Territorien 1, 72-85, 80-83]. Selbst im Würzburg Julius Echters blieben Erfolge der Katholischen Reform im Volk zunächst aus: „Irgendwo muß das uns so perfekt anmutende System einen nicht einkalkulierten schwachen Punkt gehabt haben" [278: SPECKER, Reformtätigkeit, 100 f., Zitat 100]. Beamte, Geistliche und Lehrer ließen sich durch Echter reformieren, „eine tiefgreifende Reform des Volkes war ihm jedoch nicht gelungen. Auch die Instruktionen für die unter seinen Nachfolgern durchgeführten Visitationen lassen noch keine Besserung erkennen. Eine solche ist erst für die zweite Hälfte des 17. Jahrhunderts nachweisbar" [ebd.]. Die Reformphase vollzog sich wiederum in Etappen, beginnend mit der Beamten- und Lehrerschaft sowie der Geistlichkeit, die die Reformen tragen und exekutieren mußten, bevor sie sich allmählich in einem zweiten Schritt – wenn überhaupt – im Volk durchsetzen konnten. Obrigkeitliche Reformimpulse als Datierungshinweise für die katholische Konfessionalisierung zu nehmen, verkennt die lange Dauer und die etappenweise Art der Durchsetzung, datiert also eindeutig zu früh.

# C. Deutschreformierte Kirchentümer

## 1. Der Begriff der „Zweiten Reformation"

„Zweite Reformation" = Fürstenreformation

Für den Konfessionswechsel zum Deutschreformiertentum hat HEINZ SCHILLING den Begriff der „Zweiten Reformation" geprägt. Über das Phänomen an sich herrscht weitgehender Konsens in der Forschung. Die „Zweite Reformation" beansprucht, die „Reform der Lehre", die die lutherische „Erste Reformation" gebracht habe, durch eine „Reform des Lebens" zu vollenden. Sie knüpft an philippistische, auch oberdeutsche Traditionen an, die sie mit genuin calvinistischen Ideen verbindet. Sie schafft eine strengere Liturgie und eine straffere Sittenzucht. Die „Zweite Reformation" ist Fürstenreformation. Sie entspringt der persönlichen Willensentscheidung des Fürsten, wobei familiäre und dynastische Einflüsse oder die führenden Beamten eine nicht unwichtige Rolle spielen, sie entsteht jedenfalls nicht „von unten" wie die „Erste Reformation" in den 1520er Jahren. Pointiert vertreten diese Deutung der „Zweiten Reformation" als Fürstenreformation v.a. SCHILLING, RABE, ZIEGLER und KLUETING [312: SCHILLING, Konfessionskonflikt, 187; 50: RABE,

Reich, 369 f.; 135: ZIEGLER, Territorium, 73; 44: KLUETING Zeitalter, 216]. Die marxistische Forschung steht hierzu natürlich nicht im Dissens [321: ZSCHÄBITZ, Problematik].

Klientelbeziehungen

Beim Übertritt zum Reformiertentum haben Klientelbeziehungen eine wichtige Rolle im Entscheidungsprozeß gespielt. Diese politischen Voraussetzungen der Konfessionsbildung in Gestalt klientelartiger Kommunikations- und Abhängigkeitssysteme hat VOLKER PRESS besonders herausgearbeitet. Sie wirken „von oben nach unten", d.h. die hegemoniale Macht beeinflußt die konfessionelle Entscheidung ihrer Klientel, sie wirken „horizontal", d.h. innerhalb eines Verbandes, und „von unten nach oben", d.h. durch die Tätigkeit am Hof gewinnt die Klientel selbst einen Anteil an der Entscheidungsfindung. Die Beispiele für diese Spielarten stellen die Kurpfalz mit ihrem Hegemonialsystem, die Wetterauer Grafen und die Erbacher Grafen mit ihrer Rolle am Pfälzer Hof bei dessen Konfessionswechsel dar [309: PRESS, Kurpfalz, bes. 106, 123 f., 127, 128; DERS., Die Grafen von Erbach und die Anfänge des reformierten Bekenntnisses in Deutschland, in: Aus Geschichte und ihren Hilfswissenschaften. Fs. W. Heinemeyer, hrsg. v. Bannasch, H./ Lachmann, H.-P.. Marburg 1979, 653-685, bes. 656 f., 672 f., 682 f.; 315: SCHMIDT, „Zweite Reformation", 197 f.].

Begriff „Zweite Reformation": Ablehnungsfront

Den Begriff „Zweite Reformation" als Etikett für den Konfessionswechsel zum Reformiertentum [zur Begriffsgeschichte 297: KLUETING, „Zweite Reformation"?, 265 f.], lehnen die meisten Historiker jedoch ab: ZEEDEN, PRESS, HECKEL, NEUSER, JUNGHANS, BAUR, HENDRIX, SPARN, BLASCHKE, KLUETING, ZIEGLER und KINGDON haben sich gegen seine Verwendung ausgesprochen [ZEEDEN, Literaturbericht „Zeitalter der Glaubenskämpfe, in: GWU 15 (1964), 182-195, hier: 186, Rezension von 171: KLEIN, Kursachsen; 309: PRESS, Kurpfalz, bes. 126; 294: HECKEL, Reichsrecht, 11, Anm. 1; 307: NEUSER, Erforschung; 44: KLUETING, Zeitalter, 215, 224 f.; 135: ZIEGLER, Territorium, 72 f.; KINDGON, J.M., Rezension von 311: SCHILLING (Hrsg.), Die reformierte Konfessionalisierung, in: ARG 79 (1988), 358-362, 362; alle anderen in: SCHILLING (Redaktion), Schlußdiskussion, in: 311: 439-467].

Das Urteil HECKELS sei etwas ausführlicher referiert: Der Terminus ist ihm ein reformierter Kampfbegriff, der die „Reformation Luthers als bloßen Anfang und als steckengebliebenes, torsohaftes kirchengeschichtliches Ereignis ..., das erst durch die Reformierten seine Vollendung zur eigentlichen Reformation des Glaubens und der Kirche erfahren habe", charakterisiert [294: Reichsrecht, 11,

Anm. 1]. Das genügt ihm, den Begriff abzulehnen. Auch an weiteren Einwänden fehlt es nicht: „Zweite Reformation" sei kein Quellenbegriff [NEUSER, KLUETING, in: SCHILLING (Redaktion), Schlußdiskussion, in: 311: 224]. Die Dimension des Geschehens sei für die Bezeichnung „Reformation" zu bescheiden [RABE ebd., 366]. Die wissenschaftliche Verwendbarkeit polemischer Bezeichnungen ist in der Tat zweifelhaft, besonders wenn nichts dagegen spricht, von reformierter Konfessionalisierung zu reden, die sich selbst als „Zweite Reformation" versteht, so wissenschaftliches Urteil und Selbsteinschätzung der Zeitgenossen trennend [SCHILLING, Vorwort, in: 311: 8].

Befürworter

Trotz seiner Mängel wollen andere den Begriff beibehalten: WOHLFEIL [58: Einführung, 62], RABE [50: Reich, 366 f.], weil „Konfessionalisierung" den Wechsel nicht zum Ausdruck bringt, GEORG SCHMIDT weil er „eine positive Korrelation zwischen der Einführung des reformierten Bekenntnisses und der Modernisierung des Herrschaftssystems" bezeichnen kann [315: „Zweite Reformation", bes. 210-213]. Aus marxistischer Sicht akzeptiert ihn ZSCHÄBITZ [321: Problematik]. HSIA verwendet ihn, um eine besonders konzentrierte Form von „sozialer Disziplinierung" zu kennzeichnen [111: Social Discipline, 26-38]. Auf der Reinhausener Tagung votierten auch RUBLACK, SCHORMANN und DEETJEN für die Verwendung des Begriffs [SCHILLING (Redaktion), Schlußdiskussion, in: 311: 439-467]. Obwohl der Protagonist der Begrifflichkeit, HEINZ SCHILLING, sie mittlerweile „zurück-genommen" hat [ebd., bes. 453-455; vgl. ebd. die Einleitung, 8] kann die Diskussion um ihre Berechtigung den Weg öffnen für eine Debatte über die Konfessionalisierung als einheitliches Phänomen. Insofern hat SCHILLING, was seine Absicht ja war, die Forschung doch stimuliert.

Konsens im Begriff „Reformierte Konfessionalisierung"?

## 2. Deutschreformierte Konfessionalisierung der Laien zwischen Anspruch und Wirklichkeit

Der Begriff „Zweite Reformation" beanspruchte ursprünglich, einen „einheitlichen gesellschaftsgeschichtlichen Wandlungsprozeß ..., der über die kirchen- und theologiegeschichtlichen Veränderungen hinaus politische, soziale, kulturelle und mentalitätsgeschichtliche Umbrüche herbeiführte", zu bezeichnen [SCHILLING, Vorwort, in: 311: 7-9, 7]. SCHILLING meint sogar, die deutschreformierte Konfessionalisierung habe die Gesellschaft stärker als das Luthertum umgeprägt [314: „Zweite Reformation", 393 und Anm. 25]. Für diese Dimension der „Zweiten Reformation" stellt sich also auch die Frage: Wo steht die deutschreformierte Konfessionalisierung im Spannungsfeld zwischen Anspruch und Wirklichkeit?

Akzeptanz der Konfessionalisierung?

Der Calvinismus stärkt seine „Wirtspflanze", in Frankreich das Ständetum, in Deutschland den Fürstenstaat [312: SCHILLING, Konfessionskonflikt, 385]. Hat die Tatsache, daß der Calvinismus im Reich „fürstliches Staatskirchentum" war, seine Wirksamkeit geschmälert? Oder hat er trotz oder wegen seiner Strenge und als „Elitephänomen" eine Akkulturation von oben herbeigeführt [314: SCHILLING, „Zweite Reformation", 415-425]? Eine zentrale Rolle in diesem Spiel der Beurteilungen kommt der Frage nach der „Akzeptanz" der Kirchenzucht zu. Hat die presbyteriale Kirchenzucht zur „Selbstdiziplinierung" beigetragen, unabhängig von der verfassungsrechtlichen Einbindung der Presbyterien [so 50: RABE, Reich, 369]?

Strauss: Akkulturation eher erfolgreich als im Luthertum

Die Urteile über die Erziehungserfolge des Protestantismus, die GERALD STRAUSS gefällt hat, betreffen auch das Reformiertentum: Visitationen der Grafschaft Diez (teils zur Nassau-Dillenburg gehörig) geben – zumindest seit den 1590er Jahren – ein deutlich besseres Bild wieder als das der lutherischen Territorien: Kirchen- und Katechismusbesuch waren gut, die Kenntnisse in Ordnung. Immerhin entdeckt also GERALD STRAUSS im Reformiertentum wenigstens einige lichte Stellen, die sich gegen das Dunkel des Luthertums abheben, obwohl das Wissen seiner Meinung nach auswendig gelernt und formelhaft war und deshalb keine religiöse und soziale Verhaltensänderung bewirken konnte: Trunksucht, Zügellosigkeit und Gotteslästerung ließen sich nicht unterdrücken, Tanzen, Gottesdienstversäumnisse und -störungen waren an der Tagesordnung [123: House of Learning, 291-294, bes. 293].

Schilling: Freiwilligkeitskirche Emden erfolgreich

Da sich der Erfolg der Konfessionalisierung in Fürstenstaaten, wo sie Zwang war, von Freiwilligkeitskirchen unterscheiden könnte, sollen diese beiden Fälle getrennt dargestellt werden. SCHILLING hat die Akten des Emder Presbyteriums untersucht [310: Reformierte Kirchenzucht; vgl. die Edition der Quellen: SCHILLING, H./ SCHREIBER, K.-D. (Bearb.), Die Kirchenratsprotokolle der reformierten Gemeinde Emden 1557-1620, Teil 1: 1557-1574. Köln/ Wien 1989]. In Emden begann die reformierte Kirche als Freiwilligkeitskirche, erst allmählich erfaßte sie die gesamte Stadt. Die Gemeinde bestand also zunächst aus Leuten, die sich bewußt für strenge Zucht aussprachen und sich dieser aus eigenem Antrieb unterwarfen. Ausgehend von der Einsicht, daß die Abendmahlsgemeinde im Sinne des Apostels Paulus rein zu halten sei, betrieb das Presbyterium Sittenzucht [310: SCHILLING, Reformierte Kirchenzucht, 272-275]. Die „Bereitschaft der Gemeinde, die Zucht zu akzeptieren" [ebd., 273], führte zu einer Stärkung des christlich-brüderlichen Zusammenlebens als dem Hauptobjekt der „Sündenzucht" [ebd., 310-313]. SCHILLING glaubt an einen Erfolg, eine „Versittlichung der weltlich-bürgerlichen Gesellschaft, ihre Erziehung zur christlich fundierten Gemeinschaft war ... Konsequenz der Kirchenzucht" [ebd., 325]. Er betont aber gleichzeitig die seines Erachtens fundamentale Differenz der Emder Freiwilligkeitszucht zur staatlichen Disziplinierung in Fürstenstaaten [ebd.].

Vogler/Estèbe: Pfälzer Presbyterien verchristlichen Sozialverhalten

Doch wird auch die begründete Vermutung geäußert, die Sittenzucht sei in den Staatskirchentümern auf ein gehöriges Maß an Akzeptanz gestoßen, es gäbe also auch hier eine Selbstreformation der Bevölkerung mittels der Presbyterien. Eine vergleichende Untersuchung von Presbyterialprotokollen aus dem Languedoc und der Pfalz von 1583-1599 bzw. 1584-1619, die BERNARD VOGLER und JEAN ESTÈBE vorgelegt haben, stützt diese Annahme [318: Société protestante, 362-388]. Der Kampf der Presbyter galt der Gotteslästerung, der Sonntagsentheiligung, magischen Praktiken, der Rohheit des Familienlebens und des gesellschaftlichen Zusammenlebens, dem Müßiggang und dem Wucher [ebd., 369-382]. Bei recht starken regionalen Kontrasten – in der Pfalz dominierte das Laster des Weintrinkens gegenüber dem des Tanzens und der Gewalt im Languedoc – und trotz unverkennbarer Resistenzen etwa beim Gottesdienstbesuch zeigen sich deutlich Erfolge der Sittenzucht: Die Spielsucht in der Pfalz verschwindet um 1600, magische und zauberische Praktiken gehen zurück, wohingegen Trunksucht, Blasphemien und „Sünden des Fleisches" fortbestehen [ebd., 386]. Die kommunalen Presbyterien erfüllten soziale Aufgaben, wahrten den Frieden, ohne daß gleich Gerichte hätten eingeschaltet werden müssen, im Bereich der Nachbarschaft, der Eltern-Kind-Beziehungen oder zwischen Eheleuten: „Ihr Erfolg in diesen Bereichen ist unbestreitbar: die Zahl der in Freundschaft geregelten Angelegenheiten ... läßt ihr Wirken alles andere als erfolglos erscheinen ... Sie haben eine Entwicklung der Sitten gefördert, weil sie in den calvinistischen Gemeinden die christlichen Prinzipien, besonders die des Dekalogs, eingewurzelt haben: die Anwendung der calvinistischen Ehe ..., der Kampf für eine Familie, in der die Frau und die Kinder gegenüber dem allmächtigen Familienoberhaupt unmündig sind, die ständige Sorge

Presbyterium als Friedensstifter

für eine Erziehung der Jugend (und auch der Verlobten oder der Armen) haben wahrscheinlich den Prozeß der Entfernung von mittelalterlichem Denken beschleunigt" [ebd., 386 f.]. Daß im 17. und 18. Jahrhundert verschiedene Lebenseinstellungen mit verschiedenen Konfessionen im Sinne eines Habitus verbunden waren, hat die eindrückliche Untersuchung PETER ZSCHUNKES zum trikonfessionellen Oppenheim vorgeführt [Konfession und Alltag in Oppenheim. Beiträge zur Geschichte von Bevölkerung und Gesellschaft einer gemischtkonfessionellen Kleinstadt in der frühen Neuzeit. Wiesbaden 1984]. Sie zeigt die – erwartete – strengere Selbstdisziplinierung von Calvinisten gegenüber den Lutheranern und von diesen gegenüber den Katholiken auch im alltäglichen Verhalten wie der Vorratshaltung oder der Familienplanung. „Die Vermutung, daß Sozialdisziplinierung keineswegs ein rein von oben oktroyiertes Sittenzuchtsystem war, hat für die Sozialgeschichte der Reformation enorme Auswirkungen" [111: HSIA, Social Discipline, 129; vgl. 125].

Hsia: Sozialdisziplinierung kann nicht von oben oktroyiert werden.

Die gegenteilige Annahme, wonach die Überwachung der Moral als Fremdzwang empfunden worden sei, steht noch auf festen Füßen [303: MÜNCH, Kirchenzucht und Nachbarschaft; 50: RABE, Reich, 370]. Besonders scharf formuliert sie PAUL MÜNCH: „Mir scheint es nach wie vor höchst fraglich, ob man im Falle der Kirchenzucht zu irgend einem Zeitpunkt von einer ‚Fundierung im Willen der Gemeinde' ausgehen kann. Die inhaltlich tief ins alltägliche soziale Leben der Gemeinden eingreifenden Bestimmungen der Kirchendisziplinordnungen wurden von den Theologen oktroyiert. Sie standen zu keinem Zeitpunkt zur Diskussion, so daß sich ein wie auch immer gearteter gemeindlicher Wille hierzu gar nicht zu artikulieren vermochte. Insofern hat die Kirchenzucht immer nur in ‚herrschaftlicher Ausprägung' existiert. Von Anfang an ging es ... um Kontrolle und ‚Disziplinierung'. Beidem suchte sich der in den Senioren repräsentierte ‚Wille der Gemeinde', so oft es nur ging, zu entziehen" [303: Kirchenzucht und Nachbarschaft, 222, Anm. 24]. Aber selbst PAUL MÜNCH gibt zu, daß die Presbyterien nicht immer als Störfaktor empfunden wurden, „sofern das Presbyterium in der Tradition nachbarschaftlicher Konfliktregelung ... die nötigen Normen ... stützte" [ebd., 245]. Übrigens gilt die gleiche Grundsatzfrage auch für den Send und die lutherischen Kirchenkonvente in Württemberg [191: SCHNABEL-SCHÜLE, Kirchenzucht, 207-213].

Münch: Kirchenzucht ist Oktroi

Die hier aufgeworfene Problematik zieht sich weiter: Wie kann Kirchenzucht effektiv sein, wenn sie keine Akzeptanz besitzt [ebd.]? Oder hatte sie gar keinen Erfolg [ebd., 213]? 300 Jahre lang existierte eine für den innerdörflichen Frieden gefährliche Institution, die keinen Erfolg hatte? Die Forschungslage, die sich ja durchaus auf Zeugnisse für die Schwierigkeiten der Sittenzucht stützt, führt in ein Dilemma, aus dem man nicht herauskommt, wenn man nicht annimmt, daß die betroffenen Menschen selbst für strenge Zucht eingetreten sind oder sie doch akzeptiert haben.

# D. Gesamttendenzen – Konfessionalisierung als Paradigma

## 1. Territorialisierung

Die wichtigste und im wesentlichen unbestrittene Grundtatsache der Konfessionalisierung ist ihre enge Verflechtung mit dem Territorialstaat, sowohl formal und räumlich als auch inhaltlich-funktional. Durch eine gegenseitige Befruchtung von Staat und Kirche kommt es zu einer Modernisierung des Staates und der Gesellschaft. Diese Grundtatsache kann man auf den Begriff der „Territorialisierung“ bringen [86: Press, Territorialismus; 74: Lang, Ausformung der Konfessionen, 13].

Vorherrschen einer nicht säkularen Staatsidee

Die Voraussetzung für diese enge Beziehung von Territorialisierung und Konfessionalisierung liegt in der heute schwer nachvollziehbaren umfassenden Geltung der Religion als Lebensmaxime: Sie schloß das Politische ein, setzte ihm sein Soll, wie umgekehrt der Staat seine Tätigkeit religiös motivierte und sanktionierte [vgl. 141: Bofinger, Territorialstaat, 145-149]. „Daß eine fürstliche, obrigkeitliche, ‚weltlich‘ erscheinende Autorität weltliche und religiöse Entscheidungs- und Aufsichtsbefugnisse in ihrer Hand zusammenfaßt, setzt letzten Endes eine Welt voraus, in der die Religion noch ... rund um die Uhr das Leben beherrscht. Weltliche und religiöse Sphäre sind noch nicht grundsätzlich voneinander geschieden; sie liegen in enger Wechselbeziehung zueinander, durchdringen einander, und auch der Alltag ... ist noch ganz von Religion, religiösen Antrieben, Rückhalten, Erklärungen erfüllt“ [189: Schmidt, Kirchenregiment, 43]. „Das Amt ist von Gott und der Fürst wirkt als Gottes Lehnsmann“ [ebd., 45].

Der Staat gewann durch die Säkularisationen und Sequestrationen an Raum, er vermehrte seine Funktionen im Bereich der Gottesdienstordnungen, der Schule, der Sozialfürsorge und der Sittenaufsicht und schaltete konkurrierende Stände aus [103: BLASCHKE, Wechselwirkungen]. Die „orthodoxen Staatskirchen" stützten die ständische Gesellschaft und übten eine Gehorsamshaltung ein, die die Gesellschaft im Sinn des Staates disziplinierte [59: ZEEDEN, Zeitalter der Gegenreformation, 289 – zum Reformiertentum; 36: DÜLMEN, Europa, 15; 182: ROBISHEAUX, Rural Society, 67; 50: RABE, Reich, 368, 437 betont für alle Konfessionen; 312: SCHILLING, Konfessionskonflikt, 366-369; 111: HSIA, Social Discipline, 177]. Von HEINZ SCHILLING wird der „Zweiten Reformation" eine besonders große Bedeutung für die staatliche Modernisierung zugesprochen [314: „Zweite Reformation„]. Im Kampf um die „Zweite Reformation" stehen sich neben unterschiedlichen religiösen auch unterschiedliche Gesellschaftsmodelle gegenüber, die SCHILLING „antagonistisch" nennt: der frühmoderne „Territorialstaat unter dem Souveränitätsprinzip mit einer tendenziell formierten und disziplinierten Untertanenschaft einerseits" und ein Gesellschaftsmodell, das durch „die relative Autonomie gesellschaftlich-politischer Untereinheiten ... sowie durch die gemeindlich-genossenschaftliche Fundierung des öffentlichen Lebens in Dorf, Stadt und Territorium" andererseits gekennzeichnet ist [ebd., 428] – man ist versucht abzukürzen: Territorialismus versus Kommunalismus. „Die Zweite Reformation erscheint durchgehend als souveränitäts- und gesamtstaatliche Bewegung gegen den alteuropäischen ‚Kommunalismus'" [ebd., 429]. Im Prinzip gelte dies jedoch für alle drei Konfessionen, sei also ein gemeinsames Merkmal der Konfessionalisierung [93: SCHILLING, Konfessionalisierung im Reich, 34 f.; vgl. 130: WALDER, Reformation].

staatliche Intensivierung

Territorialismus versus Kommunalismus

Als Einzelmerkmale der Territorialisierung werden hervorgehoben:

1. Die Konfessionalisierung vereinheitlicht das Territorium und grenzt es deutlich von anderskonfessionellen Territorien ab [ZEEDEN, Grundlagen und Wege, in: 101: 67-112, 73; 59: ZEEDEN, Zeitalter der Gegenreformation, 207-209; SCHREINER, Rechtgläubigkeit als „Band der Gesellschaft" und „Grundlage des Staates", in: 144: BRECHT/SCHWARZ (Hrsg.), Bekenntnis und Einheit, 341-379, 375; 93: SCHILLING, Konfessionalisierung im Reich, 33; 195: SCRIBNER, Police].

Abgrenzung nach außen

2. Aus dem landesherrlichen Patriarchalismus wird ein Herr-

Vorstufe des Absolutismus

Untertanen-Verhältnis. Die Konfessionalisierung stützt frühabsolutistische Tendenzen [60: ZEEDEN, Glaubenskämpfe, 137; 93: SCHILLING, Konfessionalisierung im Reich, 32; 312: SCHILLING, Konfessionskonflikt, 36]. Verantwortlich für diese Tendenz ist die Konfessionalisierung insofern, als sie bisher der Kirche unterstellte Bereiche dem Staat öffnet: Ehe und Familie, Bildung, Schule, Armenfürsorge – eine Gesamttendenz, die im Katholizismus allerdings deutlich schwächer ausgeprägt ist [52: SCHILLING, Deutschland, 274; 36: DÜLMEN, Europa, 256; 46: LUTZ, Reformation und Gegenreformation, 132 f.; 50: RABE, Reich, 431; 44: KLUETING, Zeitalter, 73].

Gegenargument: Stärkung des Patriarchalismus

Gegen diese Annahme, mit dem Absolutismus löse sich der Fürst von den Bindungen an die traditionelle Rolle des „Landesvaters", wenden sich Untersuchungen, die den „antikapitalistischen", moderierenden Einfluß des Luthertums auf den Staat akzentuieren. Die „Hausväter"-Ideologie, die dem Fürsten die Sorge für die Allgemeinheit vorschrieb, schützte den gemeinen Mann, dem zwar Selbstdisziplin anerzogen wurde, der aber der Fürsorge des Staates sicher sein konnte [132: WRIGHT, Capitalism, 246, 249-257; WEIDNER, K., Die Anfänge der staatlichen Wirtschaftspolitik in Württemberg. Stuttgart 1931]. Das Luthertum – wieweit das auch in anderen Konfessionen nachzuweisen ist, wäre zu untersuchen – stützte nach diesen Darstellungen eher eine patriarchalische Regierungsweise, in welcher der Landesfürst der „Patron des gemeinen Besten" war, das er zum Wohl der Allgemeinheit verwenden sollte. Die zentrale Rolle des Bildes vom „Hausvater" für das Selbstverständnis der lutherischen – und nichtlutherischer – Fürsten des 16. Jahrhunderts wird eindrücklich nachgezeichnet von HEINRICH SCHMIDT, der für den niedersächsischen Raum festhält: „In den Lebenseinheiten von Familie und Haus fließen religiöse und weltliche Sphäre ungetrennt ineinander über ... Und wie das Gewissen des Hausvaters auf sein ganzes Haus bezogen ist, so das des Fürsten auf sein Land" [189: SCHMIDT, Kirchenregiment, 37 – vgl. 49].

Verstaatlichung der Kirche

3. Die Kirche wird verstaatlicht [60: ZEEDEN, Glaubenskämpfe, 20, 141-148; ZEEDEN, Grundlagen und Wege, in: 101: 67-112, 75, 101 f.; 58: WOHLFEIL, Einführung, 39 f., 73]. Das obrigkeitliche Kirchenregiment beschränkte die Freiheit der Kirche auf ein Minimum. Der Fürst übernahm in evangelischen Territorien die Kirchenleitung als „summus episcopus" selber. Die Kirche wurde zu einem Zweig der staatlichen Verwaltung. Aber auch die katholischen Fürsten eigneten sich immer mehr Verfügungsrechte an. Schon seit dem Spätmittelalter lag die Besetzung höherer kirchlicher

Stellen bis zu den landsässigen Bistümern in der Hand der Landesfürsten. In der Zeit der Gegenreformation bauten die katholischen Obrigkeiten ihre Machtposition noch weiter aus: Die Durchführung kirchlicher Erlasse machten sie von ihrer Zustimmung abhängig. Durch Visitationen griffen sie in die kirchliche Amts- und Sittenaufsicht und damit in den Kompetenzbereich der Kirche ein. Einen Teil der kirchlichen Einkünfte ließen sie in den Staatssäckel fließen. „Durch konsequente Handhabung ihrer anerkannten oder gewohnheitsmäßigen Rechte beeinflußten und kontrollierten die katholischen Landesherrn die Kirche ihres Landes im allgemeinen so, daß sie praktisch regierten" [60: ZEEDEN, Glaubenskämpfe, 142].

Mentalitätsprägung

4. Die Konfessionalisierung prägt die Mentalitäten der Menschen um. „Frühmoderner Staat und Konfessionskirche wirkten in einer Art Symbiose zusammen, indem sie geistige und institutionelle Kapazitäten gemeinsam ausbildeten und sich wechselseitig zur Verfügung stellten." Die Konfessionskirchen disziplinieren im Sinne des Staates, ersetzen seine nicht voll nach unten durchgreifende Verwaltung und tragen so zur Schaffung einer formierten Untertanenschaft bei [312: SCHILLING, Konfessionskonflikt, 36]. Die Parallelität der Konfessionen im Hinblick auf die Konsolidierung des frühmodernen Staates, ihre „funktionale Gleichheit" betont HARM KLUETING [„Zweite Reformation" oder reformierte Konfessions- und Kirchenbildung? in: Monatshefte für Evangelische Kirchengeschichte des Rheinlandes 34 (1985) 19-40, 31 f.].

Katalysator der Modernisierung

Das Fazit dieser Einzeltendenzen hat HEINZ SCHILLING gezogen: Wie die Konfessionalisierung „zum Katalysator des gesellschaftlichen Wandels, wurde die Monopolisierung der Kirche und des religiösen Lebens durch den Konfessionsstaat zum Schlüsselmonopol innerhalb der frühmodernen Staatsbildung" [93: Konfessionalisierung im Reich, 13]. Diese Idee knüpft an ELIAS' Theorie über den Prozeß der Zivilisation [ELIAS, N., Über den Prozeß der Zivilisation, 2 Bde. (stw 158/159). Frankfurt a.M. 1976] an. Die Grundtendenz wird nicht in allen Staaten und nicht gleichzeitig wirksam. Am schwächsten prägt sie sich in den geistlichen Staaten aus. Die Domkapitel und die Landstände konnten in der Regel nicht auf Dauer ausgeschaltet werden [273: SCHRÖER, Kirche 2, 29].

Press' Kritik an der Dynamisierungsthese

Zumindest für das Kernland der „Zweiten Reformation" müßte sich in besonders ausgeprägtem Maße eine staatliche Modernisierung nachweisen lassen. Doch gerade in der Pfalz verbinden sich, so betont VOLKER PRESS, keine administrativen und politischen Modernisierungen oder andere Intensivierungsprozesse mit ihr

[309: Kurpfalz, 122-124]. Diese kritische Anmerkung ist aus einem verfassungsgeschichtlichen Blickwinkel getroffen, weshalb sie nicht unbedingt die sozialgeschichtliche Konzeption einer deutschreformierten Konfessionalisierung treffen muß. Denn diese bezieht sich eher auf eine langfristig wirksame Erziehung der Untertanen denn auf die Verwaltungsebene. Wenn sich das Augenmerk auf die Sittenzucht vor Ort richtet, in den einzelnen Presbyterien und Gemeinden, dann stellt sich hier wieder die Frage nach der Teilnahme des Volkes an seiner Disziplinierung. Damit wird zweifelhaft, ob die Mechanismen gemeindlicher Selbstregierung, die man auf den Begriff „Kommunalismus" gebracht hat, durch den „Territorialismus" im Sinne ausschließlicher Fürstenherrschaft abgelöst wurden [Blickle, P., Kommunalismus, Parlamentarismus, Republikanismus, in: HZ 242 (1986) 529-556; vgl. 86: Press, Territorialismus]. Hier sollen nur einige Forschermeinungen, die letztlich auch in diese Richtung zielen, referiert werden. Sie alle begreifen die Reformation – noch nicht die katholische Reform – als Vollzug einer von unten kommenden „Nachfrage":

„Revolutionäre Erhebung und verstaatlichte Reformation, Volksbewegung und Fürstenmacht stellen keinen Gegensatz dar, sondern ergänzen sich. Das landesherrliche Kirchenregiment bildet in der Reformationsgeschichte die Fortsetzung des Bauernkrieges ‚mit anderen Mitteln'" [136: Zimmermann, Einführung, 152]. „Das bedeutet, zugespitzt formuliert, daß das obrigkeitliche Kirchenregiment ein von der Bevölkerung positiv bewertetes Ergebnis des Bauernkriegs darstellt" [ebd., 153]. Die Territorialisierung stellt sich dar als „Einhegung und Korrektur schon vollzogener Gemeindereformationen durch ‚Ordnung und Abgrenzung'." Bei Eike Wolgast ist dies eine von drei Möglichkeiten neben der Spätreformation und der „organisatorischen Einführung in bisher altgläubigen Territorien" [131: Reformation, 65 f.; vgl. 88]. Dezidiert und als Modell entwickelt wird diese Sicht von Robert Scribner. Am Beispiel der städtischen Reformation begreift er die Verstaatlichung als die institutionalisierte Form der Volksbewegung. Die Reformation wollte ihre eigene Institutionalisierung [120: Paradigms]. Eine „Veralltäglichung" der Reformation in Gestalt städtischer Kirchenordnung und staatlicher Verwaltung der Kirche findet er auch in fürstlichen Territorien: „Also gibt es keinen fundamentalen Unterschied zwischen städtischer Reformation und Fürstenreformation – beide sind verschiedene Formen des selben erastianischen Prozesses" [ebd., 127].

Scribners „Erastianismus" oder die Veralltäglichung der Konfession

Eine solche Sicht, wie sie Zimmermann und Scribner dezidiert vertreten, das sei nur am Rande bemerkt, konkurriert mit der Annahme, das Scheitern des Bauernkriegs 1525 sei eine historische „Wasserscheide“ gewesen, wie sie ZEEDEN formuliert hat: „Den populären Schwung brach entscheidend der Bauernkrieg 1525. Seit ihm nahmen sich die politischen Obrigkeiten der Sache Luthers an, und er legte sie auch betont in ihre Hände. Aus der evangelischen Bewegung wurde kirchenpolitische Reformation“ [59: Zeitalter der Gegenreformation, 26]. Diese Position ist vor allem von GÜNTHER FRANZ, BERND MOELLER und von PETER BLICKLE mit Entschiedenheit vertreten worden [FRANZ, G., Der deutsche Bauernkrieg. Darmstadt [12]1984, 298 f.; 47: MOELLER, Deutschland, 100 f.; BLICKLE, P., Deutsche Untertanen. Ein Widerspruch. München 1981, 127-142; DERS., Gemeindereformation. München 1985, 120-122].

## 2. Säkularisierung

Säkularisierung als Folge der Konfessionalisierung

Die These, mit der Konfessionalisierung sei auch eine Säkularisierung verbunden, wird mitunter vertreten, ohne daß es darum zu einer Forschungsdiskussion gekommen wäre. Diese Feststellung gilt bis auf wenige Ausnahmen („Zweite Reformation“) auch für die anderen interpretierenden Begriffe. Wo sie vertreten wird, stützt sich diese These auf die an sich einsehbare Annahme, der umfassende lebensgestalterische Anspruch der Konfessionen habe durch seine *Bindung* an das Politische allmählich an Glaubwürdigkeit verloren. Streckenweise wird aber auch behauptet, die *Trennung* von Kirche und Welt habe zum Funktionsverlust der Religion geführt. Eigenartigerweise vertritt auch Heinz Schilling diese These: Die „fortschreitende Differenzierung von Kirche und Welt aufgrund des Scheiterns zunächst des kaiserlichen, dann des päpstlichen Universalismus ... stellt sich als Vorgang der Säkularisation dar. Der frühneuzeitliche Staat, der große Mit- und Gegenspieler der Konfessionen, war auch ein Produkt dieser ‚Säkularisation‘“ [312: Konfessionskonflikt, 23 – vgl. als SCHILLINGS Referenz BÖCKENFÖRDE, E.-W., Die Entstehung des Staates als Vorgang der Säkularisation, in: Säkularisation und Utopie. Fs. Ernst Forsthoff. Stuttgart 1967, 75-94]. Tragend für SCHILLINGS weitere Argumentation ist aber offenbar die gegenteilige These, auf der Ebene der Partikularstaaten habe eine „neue Verknüpfung von kirchlich-religiösen und staatlich-gesellschaftlichen Elementen“ stattgefunden [312: Konfessionskonflikt, 23 f.]. Oder doch nicht? „Was sich hier anbahnte, war so etwas wie eine religiöse Aufladung der gesellschaftlichen und politischen Sphäre, ohne daß damit wieder ‚eine sakrale Fundierung der gesamten Lebensordnung' erreicht worden wäre. Gerade diese zumindest teilweise vollzogene Entsakralisierung und Entmystifizierung der Welt war dazu geeignet, die im eigentlichen Sinne politische und gesellschaftliche Wirksamkeit des Religiösen freizusetzen" [ebd., 24]. SCHILLING ist hier mit WINFRIED SCHULZE einmal gleicher Meinung, der die „eigentliche" historische Bedeutung des konfessionellen Zeitalters darin sieht, „die konfessionelle Bedingtheit menschlicher Existenz zu überwinden und in zentralen Fragen des politischen Zusammenlebens säkularisierte Lebensformen zu entwickeln" [55: SCHULZE, Einführung, 51]. Die Bedeutung der Konfessionalisierung läge in der Entkonfessionalisierung? Zumindest für SCHILLINGS These von der gesamtgesellschaftlichen Prägekraft des Konfessionellen dient die Säkularisationsthese kaum als stützendes Argument. RAINER WOHLFEIL meint in gleichem Sinn wie SCHULZE, die Reformation habe zur Verselbständigung des Menschen gegenüber der Religion und damit zur Säkularisierung beigetragen [58: WOHLFEIL, Einführung, 75]. Die gleichen Autoren, die zuvor noch von einem Ineinandergreifen von Konfessionalisierung und Sittenzucht sprachen und meinten, das Sozialverhalten sei mittels der Religion sanktioniert worden, behaupten wenig später, die Religion habe an Bedeutung für das Alltagsleben verloren – so beispielsweise RICHARD VAN DÜLMEN, der einerseits von einem „Prozeß der Verchristlichung der Welt" spricht, „zu dem sich der ganze Protestantismus ... bekannte" [105: Reformation und Neuzeit, 14], andererseits aber behauptet, „das, was unter Religion und Kirche verstanden und praktiziert wurde, war erstmals deutlich abgehoben von der Sphäre des rein sozial-politischen Lebens" [ebd., 6, 11]. Auch die neue Arbeit von HSIA ist diesem Interpretament der Säkularisierung verpflichtet [111: Social Discipline, 183 f.]. BERNARD VOGLER attestiert der Reformation, sie habe „eine Säkularisierung des Denkens eingeleitet und alte Ängste langsam zum Verschwinden gebracht. Die Angst vor der Hölle und vor den dämonischen Kräften geht stark zurück" [127: Volksfrömmigkeit, 195]. Der immanente Widerspruch zwischen Konfessionalisierung und Säkularisation ist nicht aufgelöst.

Entkonfessionalisierung als Ertrag des Konfessionellen Zeitalters?

Die Konsequenz der Säkularisierungsthese, da hat WINFRIED SCHULZE zweifellos recht, bestünde darin, „daß ein stärkeres Verständnis der Reformation als Beginn von Säkularisation zugleich bedeuten würde, jene Aspekte zu betonen, die im konfessionellen Zeitalter konfessionell geprägtes Denken überwinden, also Themen wie Toleranz, libertäres Denken oder die allgemeine Zurückdrängung konfessioneller Streitfragen zugunsten einer säkularisierten Friedensidee" [55: Einführung, 49]. Hier bahnt sich eine Forschungskontroverse an, die an Heftigkeit die Diskussion über die „Zweite Reformation" zweifellos noch in den Schatten stellen wird. Eine Gegenfront ist im Aufbau [vgl. 92: SCHIEDER, Religionsgeschichte, 293; 63: BLUMENBERG, Säkularisierung]. BLUMENBERG argumentiert, mit der Kategorie „Säkularisierung"/„Verweltlichung" werde das Rechtsbewußtsein der Neuzeit verkürzt und verzerrt; die Preisgabe religiöser Werte an den Staat deutet er als notwendige „Selbstpreisgabe" statt als „Fremdentzug" durch den Staat [63: Säkularisierung 1, v.a. 105-107, 112 f., 134 f.]. Tendenziell vermittelt diese Sicht Verchristlichung und Säkularisation miteinander als zwei Seiten eines Prozesses staatlicher Intensivierung.

Säkularisierung oder „religiöse Aufladung" der Gesellschaft?

Eine in ähnlicher Richtung argumentierende „sowohl-als-auch"-Fraktion hat sich ebenfalls bereits gebildet. Sie wird z. B. durch HARM KLUETING repräsentiert: Einerseits meint er, trage in Deutschland nicht die „aus der Konfessionalisierung hervorgehende Säkularisierung, sondern die Konfessionalisierung selbst und die mit ihr verbundenen politisch-sozialen Formierungsprozesse zur Konsolidierung der Territorialstaaten bei" [44: Zeitalter, 28]. Andererseits spricht er davon, daß „gerade das Konfessionelle Zeitalter selbst durch eine spezifische Wechselwirkung von Konfessionalisierung und Säkularisierung gekennzeichnet" sei. Denn religiöse Dinge würden zu einer Sache der Politik, und am Ende stünde der konfessionsneutrale Staat. Die Übernahme der Kirchenhoheit durch den Staat führe nicht zu einer Sakralisierung des Fürsten, sondern zu einem Säkularisierungsprozeß.

Säkularisierung des Reichsrechts

Ein Feld, in dem unstreitig eine Säkularisierung eingetreten ist, muß noch erwähnt werden: das Reichsrecht. Hier wurde durch den Religionsfrieden das Ketzerrecht suspendiert – wenigstens für die beiden Großkonfessionen Luthertum und Katholizismus – und ein weltlicher „moderner" Frieden eingerichtet [41: HECKEL, Deutschland, 52-55]. Die Klammer dieses Friedens mußte in dem Maße auf die Zerreißprobe gestellt werden, in dem die Territorien sich nach innen und außen zu geschlossenen Kirchentümern entwickelten und mit den Mitteln des moderneren Staates „Gegenreformation", „Zweite Reformation" oder „lutherische Orthodoxie" zunehmend aggressiv durchsetzten. Die Spannung zwischen säkularisiertem Reich und konfessionell aufgeladenem Territorialstaat und die „Militarisierung der Konfessionsfronten" eskalierte in den Dreißigjährigen Krieg [39: ENGEL, Respublica christiana, 142]. Für die Territorien muß also in klarer Absetzung vom Reich eine konfessionelle Aufladung angenommen werden, so daß Argumente aus der Reichsebene wie „Säkularisierung" nicht für die territorialstaatliche Konfessionalisierung gebraucht werden können.

## 3. Sozialdisziplinierung – der Kampf gegen die Volkskultur

der Begriff „Sozialdisziplinierung"

Der Begriff „Sozialdisziplinierung" wurde von GERHARD OESTREICH als Parallelbildung zu MAX WEBERS Rationalisierungsthese geprägt [84: OESTREICH, Geist; 85: DERS., Strukturprobleme; dazu 96: SCHULZE, „Sozialdisziplinierung"; vgl. 55: DERS., Einführung, 61-67; vgl. auch SCHMIDT, H.R., Die Christianisierung des Sozialverhaltens als permanente Reformation. Aus der Praxis reformierter Sittengerichte in der Schweiz während der frühen Neuzeit, in: Blickle, P./Kunisch, J. (Hrsg.), Kommunalisierung und Christianisierung (ZHF, Beiheft 9). Berlin 1989, 113-163, bes. 118-120]. Im Absolutismus werden zunächst das stehende Heer und das „sitzende Heer" des Beamtenapparats einer strengeren Disziplin unterworfen, die sie zu besseren und gehorsameren Organen des Staates macht. In einem zweiten Schritt weitet sich diese anfängliche „Stabsdisziplinierung" zu einem gesellschaftlichen Fundamentalvorgang, der die gesamte Bevölkerung erfaßt und über Schule, Kirche und staatliche Aufsicht (Nieder- und Sittengerichte) seinem Erziehungsziel „Disziplin" unterwirft. Alle diese einzelnen Maßnahmen addieren sich zu einem gewaltigen „Vermachtungsprozeß". OESTERICH benennt etwa das gleiche Phänomen, das NORBERT ELIAS als „Prozeß der Zivilisation" beschrieben hat. Er verlagert dessen Hauptachse jedoch in den Absolutismus und hebt die Rolle des erziehenden Staates stark hervor, der sein Interesse an einer besser funktionierenden Verwaltung und einer leichter lenkbaren Untertanenschaft erfolgreich durchgesetzt habe. Bis zu einem gewissen Grad ist der Begriff „Sozialdisziplinierung" bereits zu einer „sozialgeschichtlich gewendeten Variante des Absolutismusbegriffs" geworden [55: SCHULZE, Einführung, 67].

HEINZ SCHILLING stützt seine Konzeption stark auf dieses Wissenschaftsparadigma [312: Konfessionskonflikt, 25]. Er folgt dabei einer Vorgabe von ERNST WALTER ZEEDEN, der Sozialdisziplinierung als Leitmotiv aller drei Konfessionen definiert hat: „Der Bevölkerung gegenüber liefen die Bemühungen von Kirche und Staat mehr oder weniger in der gleichen Richtung. Eine Gewalt lieh der anderen ihren Arm. Beide erzogen die Untertanenschaft dazu, daß sie der einen wie der anderen Gewalt den gebührenden Respekt erwies ... Denn beide verstanden sich als gottgesetzte Gewalten, die mit ihren spezifischen Mitteln den gleichen Auftrag zu erfüllen hatten: Gott die Ehre zu geben und Ordnung und Sitte, Wohlfahrt und Recht auf Erden herzustellen und aufrechtzuerhalten“ [60: Glaubenskämpfe, 178]. Die Konfessionalisierung wird mittlerweile immer häufiger als Teil der Sozialdisziplinierung begriffen, so daß die Verbindung zweier Wissenschaftsparadigmen vollzogen zu sein scheint [304: Münch, Volkskultur; 36: Dülmen, Europa, 16; 93: Schilling, Konfessionalisierung im Reich, 38; 56: Schulze, Deutsche Geschichte, 265; 111: Hsia, Social Discipline, 28, 123; 44: Klueting, Zeitalter, 15, 149 f.; Enderle, W., Die katholischen Reichsstädte im Zeitalter der Reformation und der Konfessionsbildung, in: ZRG, KA 75 (1989) 228-269, 268 f.].

Sozialdisziplinierung im Staatsinteresse

Dabei wird in der Regel angenommen, die Volkskultur sei durch diese ihr fremde Zucht und Ordnung bedroht und zur Gegenwehr gereizt worden – letztlich entsteht das Bild eines Kampfes von Elitenkultur und Volkskultur. Der Volkskultur wird von der zeitgenössischen Elite, deren Sichtweise über die Visitationsakten in die Handbücher eingegangen ist, nachgesagt, sie besitze einen Hang zur Völlerei, zu Luxus und sexueller Zügellosigkeit, zur Gewalt zwecks Verteidigung der eigenen Ehre und zum Aberglauben [Zeeden/Lang, Einführung, in: 100: Dies. (Hrsg.), Kirche und Visitation]. Schilling formuliert die gängige Vorstellung vom Zusammenhang zwischen Konfessionalisierung und Volkskultur: „Gleichzeitig trug die Konfessionalisierung entscheidend zu jenem Erziehungsprozeß bei, der Schritt für Schritt den naturnahen Lebensrhythmus und die magischen Vorstellungen und Riten zurückdrängte, die über Jahrhunderte hin den unwandelbaren Grundzug der alteuropäischen Gesellschaft ausgemacht hatten. Die Konfessionen erzwangen den Übergang zu einer disziplinierten Lebensführung und bereiteten der wissenschaftlich begründeten Zweckrationalität den Boden – auf Kosten der alten, vorrationalen Geborgenheit“ [52: Deutschland, 274; vgl. 366]. Einzelne Historiker haben den skizzierten Prozeß als einen Feldzug gegen die Volkskultur verstanden. Magische Vorstellungen und Fastnachtsbräuche, Tanzen, Spielen, Trinken, sexuelle Freizügigkeit, Charivari und dörfliche Feste seien verteufelt worden. Vorsichtigere sprechen von einer „Reform der Volkskultur“,

Eliten- versus Volkskultur

die sich zwischen 1500 und 1650 vollzogen habe. Damit ergibt sich die Frage, was denn Volkskultur sei und wie sie durch andere (Eliten-)Kulturen beeinflußt werden konnte [44: SCHULZE, Deutsche Geschichte, 265].

Domestikation der Volkskultur generell erfolgreich

War diese Sozialdisziplinierung von Erfolg gekrönt? So negativ die Einzelurteile auch ausgefallen waren [siehe die einzelnen Konfessionen], so positiv lauten die Gesamteinschätzungen. Dieser Widerspruch ist genauso wenig vermittelt wie der zwischen Säkularisierungs- und Verchristlichungsthese. Der Erfolg wird in einer Engführung auf Fragen des außerehelichen Geschlechtsverkehrs gemessen, weil „die ‚Puritaner' aller Konfessionen vor allem das sexuelle Verhalten zu zähmen trachteten, um Ehe und Familie zu stärken" [52: SCHILLING, Deutschland, 369]. SCHILLING meint, daß die Prozentsätze vorehelicher Schwangerschaften „sprunghaft sanken, als die Kirchen das Ideal der Jungfräulichkeit predigten und Verstöße dagegen mit Kirchenstrafen belegten" [ebd.; so auch 44: KLUETING, Zeitalter, 150]. DÜLMEN vermutet – wieder mit dem Argument der niedrigen Illegitimitätsraten – immerhin einen Erfolg der Sittenzucht [36: Europa, 202, 294]. In gleicher Weise wie die Sexualität wurden Arbeit, Ehe und Sozialbeziehungen vom erzieherischen Anspruch der Kirchen betroffen. „Von einer ungezähmten Gesellschaft, in der das alltägliche Konfliktpotential sich naiv und direkt in Streit, Gewalt und Beschimpfung Bahn brach und für welche die Kategorie ‚Feindschaft' ein natürliches Strukturprinzip war, hin zu einer gezähmten Gesellschaft, in der Streit und Gewalt zwar nicht verschwunden waren, aber doch nicht mehr als Selbstverständlichkeit hingenommen wurden und dadurch auch seltener geworden waren, jedenfalls in ihren offenen und direkten Formen" [313: SCHILLING, Sündenzucht, 289]. Das Gebiet der Ehe und Familie begründet auch ROBSIHEAUX' positives Gesamturteil über die (lutherische) Konfessionalisierung [182: Rural Society, 99, 105 f., 108]. WOLFGANG REINHARD betont die Gleichgerichtetheit der Disziplinierungsmaßnahmen der einzelnen Konfessionen inklusive der Vergleichbarkeit ihrer Erfolge [88: Gegenreformation, 232 f.]. Negativ urteilt HSIA [111: Social Discipline, 112, 138, 149]: Gerade der Bereich der vorehelichen Sexualität zeige das Scheitern der Sozialdisziplinierung, der coitus anticipatus nehme sogar nach 1600 massiv zu und erreiche Mitte des 18. Jahrhunderts einen Höhepunkt.

Die Frage nach dem Erfolg stellt sich für den religiösen Bereich ebenso wie für den sozialethischen. Eine Verchristlichung der Gesellschaft als positives Ergebnis von Reformation und Gegenreformation behaupten einige Autoren, so VAN DÜLMEN [36: Europa, 158, 254,257] und KLUETING [44: Zeitalter, 19], der damit aber indirekt seiner Säkularisierungsthese widerspricht.

Verchristlichung der Volkskultur umstritten

Verbreiteter ist hier jedoch ein etwas negativeres Urteil. Es stützt sich auf die Urteile von Visitationen. Wir haben darüber bereits genügend gehört. ERNST WALTER ZEEDEN konstatiert eine grobe „Unkenntnis dieses gläubigen Zeitalters in Glaubenssachen. Das Unterscheidungsvermögen war mangelhaft ausgebildet; selbst für die meisten Gebildeten gingen Kirchenglaube, Magie, Zauberei und Wahn ohne klare Grenzen ineinander über" [60: Glaubenskämpfe, 176]. Vor allem der Bereich des religiösen Grundwissens, wobei die Betonung auf Wissen zu legen ist, war seiner Meinung nach mangelhaft: „Es gab Gegenden im östlichen Deutschland und im Baltikum, wo den Leuten, z.B. vor der – hier lutherischen – Beichte erst beigebracht werden mußte, was Sünde sei (von der sie absolviert werden sollten)" [Europa vom ausgehenden Mittelalter bis zum Westfälischen Frieden 1648 (Studienbuch Geschichte. Darstellung und Quellen, Heft 5). Stuttgart 1981, 133 f.]. Die hier formulierten Annahmen entsprechen stark der in MUCHEMBLEDS und DELUMEAUS Theorien enthaltenen Hypothese einer zu Beginn der Neuzeit nicht christianisierten Bevölkerung. Sie gehören also in einen größeren internationalen Diskussionszusammenhang [u.a. 34: DELUMEAU, Catholicisme, bes. Vorwort, 256-275; vgl. SCHMIDT, H.R., Die Christianisierung des Sozialverhaltens als permanente Reformation. Aus der Praxis reformierter Sittengerichte in der Schweiz ... (wie oben S. 94), der Forschungsüberblick 114-126].

Delumeaus Annahme eines verbreiteten Heidentums

Die Annahme einer „heidnischen Mentalität" [34: DELUMEAU, Catholicisme, 256] macht die gleichzeitige Existenz eines Konfessionsbewußtseins eher unwahrscheinlich: „so ist es wohl angängig, als begründete Vermutung zu äußern, daß dieses einfache Kirchenvolk der Gemeinden, zumal der ländlichen, von der reformatorischen Veränderung, die uns heutigen als Glaubens- und Kirchenspaltung durchaus gegenwärtig ist, bewußtseinsmäßig vielleicht doch nicht allzuviel mitbekommen haben möchte" [ZEEDEN, Katholische Überlieferungen, in: 101: 113-191, 184]. Dieses Urteil ZEEDENS zieht sich bis hinein in die neuesten Veröffentlichungen, etwa die HORST RABES [50: Reich, 443] oder WINFRIED SCHULZES [56: Deutsche Geschichte, 268 f.], partiell und in partiellem Kontrast zu seiner These von der „Zweiten Reformation" findet es sich auch bei HEINZ SCHILLING: „Für die breiten Bevölkerungsschichten spielte aber auch weiterhin eine un- oder besser vororthodoxe Volksreligion eine große Rolle. Die rituellen Bräuche und Vorstellungen dieser Volksreligion wurzelten in einem animistisch-magischen Weltbild: Uralte pagane Traditionen verbanden sich mit Elementen des alten und des erneuerten Christentums ... Die Bauern blieben auch nach der Reformation in eine naturnahe Frömmigkeit eingebunden" [52: Deutschland, 361].

Die Schwierigkeiten, zu einem bündigen Urteil zu gelangen, liegen darin begründet, daß die Frömmigkeit in der nachreformatorischen Phase wesentlich weniger untersucht ist als diejenige vor und während der Reformation [81: Molitor, Frömmigkeit, 3]: „Es ist ein Desiderat der Erforschung frommen Verhaltens, Ergebnisse zu erarbeiten, die nicht nur etwas über einzelne Angehörige der gebildeten, das heißt im wesentlichen der schreibfähigen Elite aussagen, sondern über die gesamte Bevölkerung. Im Sinn von Quantifizierung präzise Angaben fehlen noch so gut wie vollständig" [ebd., 12]. Möglich wäre eine solche Präzisierung – nach dem Vorbild der französischen Forschung – über die Untersuchung der Visitationsakten für längere Zeiträume [ebd., 14-19].

Den „Lackmustest" für die Erfolge der Konfessionen wie für die Frage nach der Parallelität ihrer Tätigkeit liefern das Widerstandsproblem und das Patriarchalismus-Phänomen.

### *3.1 Widerstand*

Widerstand – lutherischer Bevölkerungen – entmachteter Stände

Widerstand gegen die Konfessionalisierung kommt in mehreren Varianten vor: als Widerstand lutherischer Bevölkerungen gegen die „Zweite Reformation" oder die Gegenreformation, als Festhalten an Elementen der Volkskultur, die von der Konfessionalisierung aller Kirchen bedroht wurden, und als ständischer Widerstand gegen ein Regime, das mit der Konfessionalisierung zugleich die Ausschaltung der Stände betrieb. Auch beim ständischen Widerstand standen Lutheraner vorn im Kampf gegen die reformierte Konfessionalisierung oder die Gegenreformation, in Österreich gesellte sich spät eine radikalere calvinistische Gruppe unter Tschernembl hinzu. Bis zu einem gewissen Grad ist Widerstand ein „typisch lutherisches" Phänomen, ganz entgegen der Theologie und ungeachtet der Tatsache, daß die lutherischen Bevölkerungen ihrer eigenen Kirche durch ihr Beharren in „heidnischen" oder „katholischen" Brauchtumsformen oder durch schiere Ignoranz schwer zu schaffen machten – wenn man so will: der lutherischen Konfessionalisierung Widerstand leisteten. Diese Aussage widerspricht der herkömmlichen Annahme, die Magiesucht, der Wunderglaube und die irrationale Frömmigkeit besonders der Bauern seien am besten im Katholizismus aufgehoben gewesen. Die in Visitationen aller Konfessionen zutage tretenden Mischformen von Magie, Katholizismus und Luthertum verbieten es allerdings, diesen Begriff „Luthertum" zu theologisch zu verstehen, ihn etwa an einer gelehrten lutherischen Normaltheologie zu messen. Aber offensichtlich bestand bis zum Ende des 16. Jahrhunderts eine schleichende Tendenz zur Integration lutherischer liturgischer und dogmatischer Elemente in die Volksfrömmigkeit, die sich auch in ansonsten rein katholischen Gegenden im Nachlassen der Heiligenverehrung, der Wallfahrten, der Guten Werke, im Singen reformatorischer Lieder etc. zeigt.

Vorherrschen einer Mischreligion

Der volkskulturelle Widerstand richtete sich gegen Erziehungsversuche aller Konfessionen, er war nicht ausschließlich protestantisch, er kam vor im calvinistischen Hessen-Kassel, in Nassau-Dillenburg, dem lutherischen Württemberg, dem katholischen Würzburg. Dies spricht für ein gemeinsames Konfliktprinzip – das zwischen populärer und offizieller Religion [111: Hsia, Social Discipline, 135; vgl. 304: Münch, Volkskultur, 291-307, 297 f.]. Wie der volkskulturelle Widerstand mit der politischen „Kultur des Widerstandes" vermittelt ist, von der Winfried Schulze spricht [56: Deutsche Geschichte, 272; vgl. 268-270], ist noch zu erforschen. Der Widerstand von Bauern und Bürgern gegen ihre politische Entmündigung ist jedenfalls ein Phänomen, das sich in der Frühen Neuzeit so häufig beobachten läßt, daß Autoren wie Peter Blickle „Widerstandstradition und Konfliktkontinuität ... Charakteristika der deutschen Geschichte" nennen [Unruhen in der ständischen Gesellschaft 1300-1800 (EDG 1). München 1988, 96].

Widerstand der Volkskultur

Der ständische Widerstand wurde in den österreichischen Landen besonders deutlich. Diese Kombination von Ständischem und Religiösem bestand auch in Bayern und vielen Fürstbistümern wie Münster und Paderborn, außerhalb des Reiches auch in Böhmen, Mähren, Schottland, Frankreich und Holland [Zeeden, Grundlagen und Wege, in: 101: 67-112, 78 f.]. Bei diesem ständischen Widerstand „gab es keine prinzipiellen Unterschiede zwischen den Großkonfessionen – jedenfalls zwischen den beiden protestantischen nicht: Im Nordwesten – in Ostfriesland – und im Südosten – Böhmen und Österreich – war der Calvinismus die Konfession der Ständeopposition; in Brandenburg-Preußen und in zahlreichen anderen Territorien, die durch obrigkeitliche Entscheidung dem Calvinismus zugeführt werden sollten, war es das Luthertum, das sich mit

ständischer Widerstand

dem Widerstand in Stadt und Land verbündete" [93: SCHILLING, Konfessionalisierung im Reich, 39]. Auch katholische Ständeopposition hat es gegeben, z.B. beim Übergang des albertinischen Sachsen zum Luthertum [SMOLINSKY, Albertinisches Sachsen, in: 53: SCHINDLING/ZIEGLER (Hrsg.), Territorien 2, 8-32, bes. 17-19].

Keine Sozialdisziplinierung ohne Mitwirkung der Betroffenen

Wenn der Widerstand so kräftig war wie von den genannten Autoren angenommen, dann liegt eine Schlußfolgerung nahe, die bislang nur vereinzelt gezogen wird: Das „Volk" mußte an seiner Beherrschung aktiv mitwirken, damit diese Erfolg haben konnte. Nur so sind die Annahme eines wirksamen Widerstands und die einer erfolgreichen Sozialdisziplinierung zu vereinbaren. Zumindest müssen Gruppen innerhalb der städtischen und dörflichen Gemeinden ein aktives Interesse an der Einwirkung des Staates gehabt haben. Die Annahme, die Dorfbewohner seien die hilflosen Opfer eines mächtigen und wirkungsvollen ausbeuterischen Staates gewesen, läßt sich wohl nicht halten [182: ROBISHEAUX, Rural Society, 12 f., 34, 258]. Ohne Unterstützung aus den Gemeinden ging nichts: „Die Gemeindeangehörigen nahmen am Prozeß ihrer eigenen Beherrschung teil" [ebd., 259; so auch 111: HSIA, Social Discipline, 5]. Wer stellt denn die dörflichen Organe der weltlichen wie der kirchlichen Verwaltung? Wer exekutiert in diesem Zeitalter ohne durchgehende Beamtenstruktur die staatlichen Ordnungen – oder exekutiert sie nicht? Die selektive Akzeptanz sozialdisziplinierender Maßnahmen durch die Kommunen oder durch Gruppen in ihnen ist noch ein Forschungsdesiderat [182: ROBISHEAUX, Rural Society, 105 f., 260]. In einem Bereich gibt es jedoch einen tragfähigen Zugang: in dem der Familie.

### *3.2 Moralisierung der Familie*

Die Hausväter profitierten am sichtbarsten von der neuen Ehevorstellung des Protestantismus, die staatlicherseits durchgesetzt wurde. Für den Katholizismus könnte möglicherweise ähnliches gelten; wenn das tridentinische Dekret „Tametsi" auch nicht so weit ging, den Eltern ein Vetorecht bei Verheiratungswünschen ihrer Kinder zuzugestehen, so verbot es doch die heimlichen oder Winkelehen. Inwieweit die kirchliche und die Rechtspraxis im Katholizismus vergleichbare Wirkungen erzielt haben wie im Protestantismus, ist praktisch nicht erforscht [vgl. BECKER, P., Leben und Lieben in einem kalten Land. Sexualität im Spannungsfeld von Ökonomie und Demographie. Das Beispiel St. Lambrecht 1600-1850. Frankfurt/

New York 1990]. Es deutet sich jedoch an, als habe die katholische Kirche, die theologisch an der Vorstellung festhielt, der Konsens der Brautleute stifte die Ehe, den Kampf von Staat, Grundherrschaften und Eltern um die „Entmachtung der Jugendlichen" nicht so stark unterstützt wie die protestantischen Kirchen, sondern sich als „Bündnispartner der [heiratswilligen] ‚leichtfertigen' Paare" erwiesen [211a: Breit, Leichtfertigkeit, 294, Zitate 301]. Allerdings hat auch sie den staatlichen Feldzug gegen voreheliche Sexualität im Rahmen von traditionellen Eheanbahnungsriten flankiert [ebd., 264, 300 f.]. Sie hat damit partiell und inkonsistent an der Disziplinierung der Volkskultur mitgewirkt, die die „Jugendlichen entmachtet und die Autorität der Eltern durchsetzt" [ebd., 294]. Die folgenden Ausführungen beschränken sich deshalb im wesentlichen auf die beiden protestantischen Konfessionen.

Stärkung des Patriarchalismus

Patriarchalismus als altständisches Grundprinzip der häuslichen Ordnung wurde von allen Konfessionen gestärkt [36: Dülmen, Europa, 13 f., 196]: „Stand und Haus wurden zu komplementären, sich gegenseitig bedingenden Ordnungsprinzipien der Gesellschaft, durch die die in ‚Unordnung' geratene Welt des 16. Jahrhunderts wieder – zum Vorteil der Herrschenden – in harmonische Ordnung gebracht werden sollte" [ebd., 14]. Die These, nach der die Emotionalität in der Ehe im Rahmen dieses Grundprinzips keine Rolle gespielt habe [u.a. ebd., 197, 200 – vgl. Dülmen, R., Das Haus und seine Menschen. München 1990], kann hier nicht ausführlich diskutiert werden. Zwei Positionen seien aber immerhin markiert: Steven Ozment kommt innerhalb des Bezugsrahmens „Patriarchalismus" zu dem Ergebnis, die protestantische Ehelehre habe zu einer Aufwertung der Frau geführt, eine mehr partnerschaftliche Ehe gefördert, in der Konsens, gegenseitiger Respekt und Zusammenarbeit dominierten [116: Fathers, u.a. 50-56]. Die Gegenposition markiert Lyndal Roper in ihrer Arbeit über Augsburg [183: Household]. Sie geht von der Annahme aus, die Wirkung der Reformation auf die Stellung der Frau sei negativ gewesen [ebd., 1]. Ihrer Meinung nach hat die Reformation die Frauen ihren Ehemännern unterworfen. Die Reformation propagiere das Ideal einer unselbständigen Frau, die in den Haushalt eingebunden und der Führerschaft des Hausherrn ausgeliefert sei [ebd., 2, 156, 165, 168 f.: „central duty of wifely subordination"]. Doch muß auch sie anerkennen (sie nennt die Politik des Rates hier widersprüchlich und verwirrt), daß das christliche Ehe-Ideal des Luthertums die Frau vor einem lieblosen, die Familie unversorgt lassenden oder schlagenden, versoffenen Ehemann geschützt hat [ebd., 165, 182, 191, 193 f.]. Dabei stellt sie allerdings fest, daß Männer aus höheren Schichten von den Gerichten auch bei Gewalttätigkeiten eher mit Samthandschuhen angefaßt worden seien [ebd., 188]. Trotz verzerrender Perspektiven macht diese Arbeit – die Quellen stammen aus den Strafbüchern des Rats, den Scheltbüchern, den Ehegerichtsbüchern, den Urgichten oder von Protokollen der Zuchtherren – Hoffnung und zeigt die Richtung, in der es „gehen" kann.

Wichtig und im Rahmen dieser Darstellung eigens zu thematisieren ist daneben die Annahme, Kirche, Staat und Hausväter hätten beim Ausbau des Patriarchalismus zusammengearbeitet [36: Dülmen, Europa, 197 f., 201; 111: Hsia, Social Discipline, 143 f.; 52: Schilling, Deutschland, 363]. Ein wichtiges Gebiet, auf dem der Patriarchalismus deutlich gewachsen ist, stellt in allen drei Konfessionen die Kontrolle des vorehelichen Sexualverhaltens dar. Die Reformation gab den Vätern das Vetorecht über die Ehen ihrer Kinder. Dieses hatte im Mittelalter im Prinzip nicht bestanden, weil nach kanonischer Lehre allein der Konsens der Betroffenen die Ehe stiftet. Einzeluntersuchungen aus dem Hohenlohischen machen darauf aufmerksam, daß die Gerichte im lutherischen Territorium stets auf der Seite der Eltern standen, welche die Liebschaften und Ehegelöbnisse ihrer Kinder kontrollieren wollten. In der Nachreformationszeit machte sich die Gesellschaft die kirchlichen Ehevorstellungen dienstbar. „Ohne diese Allianz und ohne solide Unterstützung der Gesellschaft für die patriarchalische Familie wäre Ehezucht nicht leicht durchzusetzen gewesen" [182: Robisheaux, Rural Society, 99, 108; 183: Roper, Household; 36: Dülmen, Europa, 201 f., 362]. Dezidiert ausgesprochen hat den hier berührten Sachverhalt bislang Thomas Robisheaux: „Man darf die Kampagne zur Reform der Ehedisziplin nicht als obrigkeitlichen Akt allein betrachten, als einen Versuch zur Unterdrückung der Volkskultur." Man muß den innerdörflichen Diskurs über Ehe und Familie bedenken und dann den Einfluß des Staats und seiner Disziplinierungskampagne darauf. „Denn die Dörfler spielten eine wichtige Rolle bei der Installierung ehelicher Zucht in der dörflichen Gesellschaft. Ohne die Mitarbeit einzelner Gruppen im Dorf wäre die Reform nie erfolgreich gewesen." Die Bauern akzeptierten das lutherische Eherecht nicht blind, noch widerstanden sie ihm einfach. Die Reform griff vielmehr in bestehende Generationenkonflikte ein, in soziale Spannungen, die schon da waren. „Weil sie einige Gruppen im Dorf favorisiert – die Reichen, die Väter, die Mütter, einzelne Verwandtengrup-

Kontrolle der Jugend und ihres Sexualverhaltens

pen, die Vögte Minderjähriger -, findet sie Widerhall" [182: Rural Society, 105 f.]. Die neue Heiratsdisziplin spielte eine wichtige Rolle bei den bestehenden sozialen Spannungen, die von dem Bevölkerungsanstieg, der Knappheit von Land, der raschen Ausdehnung der ländlichen Armut und – nach 1570 – der Drohung von Hungersnöten hervorgerufen wurden. Familien konnten nur überleben, wenn sie ihr Land zusammenhielten und damit ihre Ressourcen sicherten. Bettelhochzeiten mußten vermieden werden, sollten nicht noch mehr Arme der Gemeinde zur Last fallen. Die Reformation stärkte die patriarchalische Autorität in der Familie und damit die Autorität der Besitzer insgesamt, besonders aber der dörflichen Elite, die nun die Ehe ihrer Kinder leichter steuern konnte [ebd., 106.]. Die Gemeinden beanspruchten zunehmend ein Recht, über die Heiratswünsche von jungen Leuten zu entscheiden, die aus der dörflichen Armenkasse unterstützt worden waren. Der von THOMAS ROBISHEAUX vorgelegte Versuch, Kirchen- und Sozialgeschichte vom Blickwinkel der Betroffenen aus zusammenzuschauen, erscheint vorbildlich für die weitere Forschung, weil er sie als etwas nur zusammen Verstehbares begreift. Unterstützt wird seine Konzeption durch BRUCE TOLLEY, der in seiner Untersuchung über Württemberg zu einem ähnlichen Ergebnis kommt: Nur die Ordnungsprinzipien und Disziplinvorschriften, die den Vorstellungen der Dorfbewohner entsprachen, wurden adaptiert. „Noch mehr – die Gemeindeangehörigen selbst nutzten die Kirchenzucht, um Konflikte zu lösen, Ordnung zu schaffen und die ökonomische Einheit der Familien zu schützen" [197: Württemberg, 238].

dörflicher Diskurs als Nachfrage staatlicher Ordnung

### *3.3 Konfessionelles Bewußtsein*

Einen Erfolg der Konfessionalisierung kann man auch in dem Maße feststellen, in dem die Bevölkerungen ein eigenes, klar abgegrenztes Konfessionsbewußtsein entwickeln. Diese Selbsteinschätzung steht neben und zum Teil gegenüber dem Fremdurteil, das Visitatoren, Kirchenleute und Staatsdiener über die Christianisiertheit der Bevölkerung gefällt haben. Im Spannungsfeld dieser beiden Ansichten der Konfessionalisierung liegt die Bandbreite der möglichen Interpretationen.

Ein konfessionelles Bewußtsein entwickelte sich erst allmählich, soviel steht fest, aus einer ursprünglichen konfessionellen Toleranz oder Ignoranz heraus. Ein Beispiel illustriert die Entwicklung recht anschaulich: ZEEDEN berichtet von Bötzingen und Oberschaff-

Konfessionsbewußtsein: von der Toleranz und Ignoranz zur Separation

hausen am Kaiserstuhl, einem badisch-österreichischen Kondominat mit verschiedenkonfessionellen Untertanen, wo anfangs die katholischen österreichischen Einwohner beider Orte mit ihren badischen Verwandten und Mitbürgern unbedenklich in die evangelische Kirche gezogen und umgekehrt diese in den katholischen Gottesdienst ihres Ortes gekommen waren. Als der katholische Pfarrer von Bötzingen den Evangelischen das Begräbnis verweigerte und der dortige evangelische Pfarrer keine Katholiken mehr als Taufzeugen zuließ, entstand allmählich konfessioneller Hader unter den Nachbarn. Man kann dies so interpretieren, daß sich Konfessionsbewußtsein im Sinne konfessioneller Intoleranz im Gefolge der von oben kommenden Einflüsse und Zwänge entwickelt hat [134: Kurpfalz, 45 f.]. Die Ausgrenzung fremdkonfessioneller Mitbürger erfolgte insgesamt seit dem Ende des Jahrhunderts. Beispiele können beigebracht werden aus den paritätischen Städten (mit katholischen und protestantischen Bevölkerungsteilen) Augsburg, Biberach, Ravensburg, Dinkelsbühl [98: WARMBRUNN, Zwei Konfessionen, 388-390], Köln [111: HSIA, Social Discipline, 80], der Stadt Münster [236: HSIA, Münster, 100-103, 211], der Pfalz [125: VOGLER, Ausbildung des Konfessionsbewußtseins, 281-287, 287]. DOROTHE COENEN hat, anknüpfend an die Arbeiten AUGUST FRANZENS, die Konfessionsbildung im Archidiakonat Xanten von der Reformation bis ins 18. Jahrhundert verfolgt und dabei festgestellt, Ignoranz und konfessionelle Unsicherheit hätten bis zum Beginn des 17. Jahrhunderts hinein vorgeherrscht, und ein klares Konfessionsbewußtsein habe sich nur sehr allmählich ausgebildet [216: COENEN, Kirche am Niederrhein, 1 f.]. WERNER THOMA bestätigt dieses Urteil für die fürstenbergischen Territorien [282: Fürstenberg, 207-209].

Konfessionsbewußtsein in der Regel erst im 17. Jh. stabil

Ein klar abgegrenztes Konfessionsbewußtsein scheint nach verbreiteter Forschungsmeinung erst Mitte des 17. Jahrhunderts allgemein erreicht worden zu sein. Bis dahin herrschte vielerorts ein schon wiederholt angesprochenes Mixtum von verschiedenen konfessionell nicht ausdifferenzierten Eigenheiten vor, die man als „Grauzone der Konfessionszugehörigkeit" bezeichnet hat [AMON, Innerösterreich, in: 53: SCHINDLING/ZIEGLER (Hrsg.), Territorien 1, 102-116, 108]. Die Unterscheidungsfähigkeit bezog sich eher auf äußerliche Merkmale wie Kerzen, Bilder, Gewänder, Fleischessen am Freitag, den Taufexorzismus usw. [ZEEDEN, Europa ... (wie oben S. 97), 130 f.; vgl. DERS., Periodisierung, in: 101: 60-66, 63].

Einige geographische Bezirke und gesellschaftliche Gruppen entwickelten offenbar sehr viel früher ein ausgeprägtes Konfessionsbewußtsein. Zu erinnern sei hier an die protestantischen Reichsstädte, die im Widerstand gegen das Interim 1548 ihren festen konfessionellen Standpunkt vertraten [201: WEYRAUCH, Interim]. Ähnliches gilt für die Hanse- und die Landstädte. Lemgo ist mehrfach erwähnt worden. Aber auch für die westfälischen Landstädte behauptet SCHRÖER, in den vierziger Jahren mache sich in den Bürgerschaften der großen Städte „ein deutliches Konfessionsbewußtsein" bemerkbar [54: Reformation 1, 520; vgl. aus dem Schweizer Raum: BRUGGISER, T., Frömmigkeitsformen der einfachen Leute im Katholizismus und Reformiertentum. Beobachtungen des Luzerner Stadtschreibers Renwad Cysat (1545-1614), in: ZHF 17 (1990) 1-26, 7]. Möglicherweise muß man bei einer Periodisierung der Entwicklung des Konfessionsbewußtseins also den Städten insgesamt und besonders den Reichsstädten einen zeitlichen Vorsprung lassen. Die Entwicklung des städtischen Konfessionsbewußtseins wird recht anschaulich und differenziert nachgezeichnet am Beispiel Straßburgs von LORNA JANE ABRAY [137: People's Reformation].

Städtebürger wesentlich früher konfessionsbewußt

Auch die dörfliche Bevölkerung in Lippe wie in Österreich steht für ein teilweise wesentlich früher ausgeprägtes Konfessionsbewußtsein. Es läßt sich hier jeweils im Zusammenhang mit Widerstand gegen Konfessionswechsel fassen. Gerade das Widerstandshandeln der Betroffenen gegen die sogenannte „Zweite Reformation" deutet in die Richtung einer Verfestigung des Luthertums, z.B. in der Oberpfalz [ZEEDEN, Grundlagen und Wege, in: 101: 67-112, 89 f.]. Es ist jedenfalls bezeichnend und im Sinne unserer Fragestellung positiv interpretierbar, daß jetzt, seit der zweiten Hälfte des 16. Jahrhunderts, bei Konfessionswechseln hinhaltender Widerstand geleistet wurde. Neben der Oberpfalz kann hier das evangelische Oberösterreich genannt werden, wo sich der Widerstand in Bauernaufständen äußerte. Diese Tatsachen veranlaßten WALTER ZIEGLER bei seinem Periodisierungsversuch, die Zeit von 1590-1630 als die des ausgebildeten Konfessionsbewußtseins zu deuten [135: Territorium, 71]. Auch innerkonfessionelle Streitereien wie die zwischen Philippisten und orthodoxen Gnesiolutheranern lassen sich historiographisch interpretieren. Die Parteibildung innerhalb der Gemeinden, wie sie sich in Westfalen aufzeigen läßt, bezeugt sogar einen höheren Grad an Differenzierungsvermögen und konfessionellem Selbstbewußtsein [54: SCHRÖER, Reformation 1, 511]. Die längere Dauer der „Indoktrination" im Luthertum nährt dabei die Vermutung, das Luthertum könne den beiden anderen „Spätstartern"

Dorfbewohner konfessionsbewußt im Widerstand

gegenüber auch bei der Entwicklung eines Konfessionsbewußtseins vorangegangen sein.

## 4. Konfessionen: Parallelität oder/und Divergenz?

In der Forschung wird zunehmend in einem allgemeinen Sinn die Parallelität der Konfessionalisierungsprozesse in den einzelnen Bekenntnissen betont. Schon 1973 konnte ERNST WALTER ZEEDEN das Paradigma einer parallelen Konfessionalisierung entwickeln: „Zum Beispiel sieht man heute erstens, was zuvor verkannt wurde, daß sich [gegenreformatorische] Zwangskonfessionalisierung, politischer Kampf und innerkirchliche religiöse Reform oft überlagern und gar nicht selten miteinander verbinden. Zweitens erkennt man die gleiche Verbindung und Überlagerung neben anderen vergleichbaren Phänomenen (Fixierung des Lehrgehalts und dessen Überbewertung) auch auf der evangelischen reformatorischen Seite. Drittens sieht man, was man zuvor in der Regel einfach nicht zur Kenntnis nahm, daß Reformation und Gegenreformation oft parallel laufen und nicht etwa aufeinanderfolgen. Alles zusammen legt es viertens nahe, Reformation und Gegenreformation als einen Komplex unter einer weiter gefaßten historischen Perspektive parallel oder gemeinsam zu behandeln. Das Postulat ist mehrfach angemeldet, bisher aber noch nicht erfüllt worden. Doch scheint seine Verwirklichung nur eine Frage der Zeit zu sein, denn sie liegt in der Konsequenz des seitherigen Gangs der Forschung" [Einleitung, in: 285: DERS. (Hrsg.), Gegenreformation, 1-8, 3]. Diese These hatte ZEEDEN schon 1956 entwickelt: „Die Gemeinsamkeiten zwischen den Konfessionen betreffend ihre innere und äußere Entfaltung wie ihre Ziele und Methoden sind, wie sich bei exaktem Studium zeigt, viel stärker und umfangreicher, als gemeinhin bekannt ist; viel stärker jedenfalls, als es das Gros auch der akademischen Lehr- und Handbücher erkennen läßt" [Periodisierung, in: 101: 60-66, 63]. ZEEDEN knüpft daran die Aufforderung, einen Überbegriff zu verwenden, der die Gemeinsamkeiten der Reformation und der Gegenreformation zum Ausdruck bringt [ebd., 64]. Er hat in einigen neueren Veröffentlichungen Resonanz gefunden: JEAN DELUMEAU stellt eine „Ähnlichkeit in den Haltungen" von Reformation und Gegenreformation gegenüber ähnlichen Problemen (Priesterproblem, Geldproblem, Problem des Verhältnisses zum Staat) fest [35: Naissance, 356-372]. JOSEPH ENGEL spricht in seinem Handbuchbeitrag von der „Gleichzei-

Parallelität der Konfessionen bei
– Zielen und
– Mitteln

tigkeit und auch ... Gleichwertigkeit von Reformation und katholischer Erneuerung" [39: Respublica christiana, 162]. WOLFGANG REINHARD fordert, den Begriff „Gegenreformation" oder „Katholische Reform und Gegenreformation" als Epochenbegriffe abzulösen und an ihre Stelle „konfessionelles Zeitalter" zu verwenden [88: Gegenreformation, 251]. WINFRIED SCHULZE hält fest, „daß sich bei aller betonten Divergenz der Bekenntnisse erstaunliche Parallelen in der Durchsetzung dieser Bekenntnisse beobachten lassen. Dies beginnt auf der oberen Ebene, wo sich die ‚jura episcopalia' des protestantischen Landesfürsten praktisch wenig unterscheiden von den Rechten eines bayerischen Landesfürsten gegenüber der Kirche. Die ‚Geistlichen Räte' hatten ihr Pendant in den protestantischen Konsistorien, die Visitationen dienten beiden Systemen als bewährtes Mittel der Kontrolle" [56: Deutsche Geschichte, 257]. SCHILLING schlägt in Vollzug der ZEEDENschen Forderungen einen anderen gemeinsamen Oberbegriff vor: Konfessionalisierung [93: Konfessionalisierung im Reich, 6 f.]. Eine solche Benennung macht seines Erachtens deutlich, „daß es sich um drei parallel verlaufende Prozesse handelt, um Spezifizierungen von Konfessionalisierung, die als übergreifender politischer, gesellschaftlicher und kultureller Wandel begriffen wird" [ebd., 6]. Die funktionalen Gleichheiten sind nach SCHILLING wichtiger als die modalen Differenzen [ebd., 30].

Reinhards Prolegomena:
– sachliche,
– zeitliche Parallelität

Ausgearbeitet zu einer „Theorie des konfessionellen Zeitalters" hat diese Einsicht ansatzweise WOLFGANG REINHARD [89: Zwang zur Konfessionalisierung?]. Er behauptet dezidiert eine „Parallelität von ‚Reformation' und ‚Gegenreformation'": Die Konfessionalisierung verläuft nach dem Ende der eigentlichen, von einer evangelischen Bewegung getragenen Reformation als ein rund zwei Jahrhunderte dauernder Prozeß in „allen drei konfessionellen Bereichen, bei Calvinisten, Katholiken und Lutheranern, sachlich weitgehend und zeitlich einigermaßen parallel" [ebd., 258 f.]. Die gemeinsame Tradition und die gleiche aktuelle politische und soziale Situation führen bei den Konfessionen zu ähnlichen Problemlösungen, insbesondere im Bereich der Konfessionalisierung im engeren Sinne: Abgrenzung von anderen Konfessionen oder gleichkonfessionellen „Parteien", Disziplinierung der eigenen Anhänger finden sich überall [ebd., 262]. Auch die Methoden, vor allem das zentrale Disziplinierungsinstrument waren gleich: die Visitation. Weitere Mittel, die Gruppenkohärenz zu garantieren, zu dokumentieren und die Gruppen zu organisieren waren Kommunikantenlisten, Tauf-,

Ehe- und Totenbücher. Auch die Rolle des weltlichen Armes wurde in allen drei Konfessionen wichtig [ebd., 266 f.]. Die Konfessionalisierung erklärt REINHARD zur ersten Phase der von OESTREICH so genannten „Sozialdisziplinierung" [ebd., 268, 276 f.]. REINHARD hat in dem Aufsatz „Gegenreformation als Modernisierung" [88] Anregungen von J. A. BOSSY aufgegriffen. Wie dieser betont er die „modernisierende" Wirkung der Gegenreformation im Bereich der Mentalität [211: BOSSY, Counterreformation; 32: DERS., Christianity].

Selbst das typisch und scheinbar ausschließlich Gegenreformatorische, nämlich die gewaltsame Bekämpfung einer andersartigen Konfession mittels Vertreibung, offenem Zwang und Gewalt ist bei jedem Konfessionswechsel praktiziert worden, ja selbst innerhalb eines konfessionellen Lagers – etwa während der protestantischen Lehrstreitigkeiten zwischen Philippisten und Flacianern oder Gnesiolutheranern [164: HERMANN, Generalvisitationen, bes. 127-151].

Parallelitäts-These auf dem Weg zur communis opinio?

Es deutet sich an, daß diese These von der weitgehenden funktionalen Parallelität der Konfessionalisierungsprozesse in Luthertum, Katholizismus und Reformiertentum communis opinio werden wird. Dabei spielt das Argument eine besondere Rolle, die Konfessionalisierung arbeite in Richtung auf eine Sozialdisziplinierung der Untertanenschaft im Interesse des frühabsolutistischen Fürstenstaates. Leitmotivisch verwenden dies ZEEDEN, SCHILLING, KLUETING, SCHULZE, RABE und HSIA [60: ZEEDEN, Glaubenskämpfe, 157; 93: SCHILLING, Konfessionalisierung im Reich, 38 und 312: Konfessionskonflikt, bes. die Einleitung; 44: KLUETING, Zeitalter, 23 f.; 56: SCHULZE, Deutsche Geschichte, 257; 50: RABE, Reich, 328, 333 f.; 111: HSIA, Social Discipline, 3]. Als Teil der Sozialdisziplinierung ordnet sich die Konfessionalisierung in ein Konzept des Frühabsolutismus ein. Überhaupt gewinnt die Sozialdisziplinierung immer stärker die Bedeutung einer „sozialgeschichtlich gewendeten Variante des Absolutismusbegriffs" [55: SCHULZE, Einführung, 67]. Ohne diese Verhältnisbestimmung erhielte auch die Konfessionalisierung weniger die Qualität eines Paradigmas.

Unterschiede zwischen den Konfessionen werden als unwesentlich abgewertet – so dezidiert SCHILLING: „Die Unterschiede zwischen der katholischen, lutherischen und calvinistischen Konfessionalisierung waren kontingenter, nicht essentialer Art: alle drei förderten den frühabsolutistischen, territorialen Fürstenstaat" [93: Konfessionalisierung im Reich, 38]. Die stärker magische Weltanschauung im Katholizismus, seine geringere Bereitschaft und Anstrengung zur Sozialdisziplinierung, seine Verspätung erscheinen allesamt als nicht wesentlich [36: DÜLMEN, Europa, 154, 272, ähnlich der lapidare Hinweis bei 44: KLUETING, Zeitalter, 363; Unterschiede zwischen bürgerlichem Protestantismus und nicht-bürgerlichem Katholizismus erwähnt 111: HSIA, Social Discipline, 90, 164].

Gegenargumente: Differenzierung des Zeitverlaufs, des Tempos und der Zugriffshärte nötig

Nun gibt es aber eine Reihe von Argumenten, welche es erlauben, die lutherische Konfessionalisierung zeitlich früher anzusetzen. Ebenso kann die reformierte Konfessionalisierung in der Regel als „Zweite Reformation" auf dieser lutherischen Grundlage aufbauen und beansprucht deshalb ebenfalls einen Vorsprung gegenüber dem Katholizismus. „Nun zeigt sich aber in den lutherischen Territorien eine vergleichbarer Neuanfang der Konfessionalisierung um 1570 nicht, vielmehr ist bereits, wie Sohm gezeigt hat, bis 1530/1550, wenigstens in Hessen, durch Kasten-, Schul- und Kirchenordnungen die das Leben gestaltende Landes- und Kirchenpolicey weithin fertiggestellt, ist also nach 1555 dort nur eine Intensivierung der Reformen, etwa in Württemberg oder Pfalz-Neuburg, festzustellen sowie, durch die lutherische Konkordie von 1580, eine lehrmäßige zwischengebietliche Festlegung. Schon dieser gravierende Unterschied – er könnte durch weitere ergänzt werden, etwa die Verschiedenheit im Bereich der Kirchenzucht oder der politischen Folgerungen, die Katholiken und Calvinisten aus ihrer Lehre zogen – muß die Frage aufwerfen, ob es wirklich den geschichtlichen Tatsachen angemessen ist, die drei genannten Religionen als gleichartige, höchstens verschiedenfarbige Konfessionalisierungsfälle zu betrachten" [135: ZIEGLER, Territorium, 65]. In der Tat hängt die Periodisierungsfrage mit der Frage nach der Parallelität der Konfessionalisierungen eng zusammen. Der zeitliche Vorrang der lutherischen Konfessionalisierung, deutlich einsetzend in den Reichsstädten in den 1520er und 1530er Jahren, begleitet von Hessens und Sachsens, auch Württembergs Kirchenaufbau, widerspricht der aus der Parallelisierungsabsicht begründbaren Spätdatierung [59: ZEEDEN, Zeitalter der Gegenreformation, 173, 282, 284 f.]. Mit der Ablösung des Schemas „Reformation – Gegenreformation" darf nicht nur ein Etikettenwechsel verbunden sein.

Die Parallelität wird nur dann richtig einzuschätzen sein, wenn die Phasen- oder Tempoverschiebung der Konfessionalisierung zugunsten des Protestantismus erkannt und betont wird. Das sprichwörtliche „katholische Bildungsdefizit" rührt von der schwächeren Kraft und dem geringeren Tempo der katholischen Reform her [241: KLÖCKER, Ursachen; 117: PRESS, Soziale Folgen, 242]. Man wird jedenfalls die REINHARDsche These nicht über Bord werfen müssen, wenn man diese Argumente weiter ausbaut, aber das unterschiedliche Tempo der gleichgerichteten Bewegung der Konfessionen wird man mit zur Kenntnis nehmen und in ein flexibleres Modell einpassen müssen.

## 5. Periodisierungsfragen

Wann beginnt das Zeitalter der Konfessionalisierung?

Überraschenderweise gibt es keinen Konsens darüber, daß die Konfessionalisierung mit den ersten Fällen begonnen hat, in denen Reichsstände neue reformatorische Kirchentümer installierten, also in den 1520er und 1530er Jahren. Die Konfessionalisierung wird vielmehr von dieser „konfessionellen Institutionalisierung" abgetrennt und als spätes Wirkungsphänomen verstanden – oder dogmatisch-theologiegeschichtlich betrachtet und mit den reformierten Bekenntnisschriften, der Konkordienformel und den Trienter Glaubensdekreten assoziiert, obwohl natürlich die zwinglischen und die lutherischen Bekenntnisschriften als solche und als Mittel der Überzeugungsarbeit längst in den 1520er und 1530er Jahren wirksam waren.

Zwei-Phasen-Periodisierung: – 1520er Jahre Start – 1555 Beschleunigung

Die wohl plausibelste Grobeinteilung geht von der Annahme aus, die Konfessionalisierung beginne in den 1520er Jahren, erfahre aber 1555 einen neuen Schub. Dezidiert vertritt ZEEDEN die Auffassung, die Konfessionsbildung setze seit dem Bauernkrieg und dem Speyerer Reichstag 1526 ein, als sich lutherische Kirchentümer herauszubilden begannen, deren sichtbarstes Zeichen der Erlaß von Kirchenordnungen war [99: Entstehung der Konfessionen, 7 f.; 60: Glaubenskämpfe, 150], wobei er die rund hundert Jahre seit 1560 als „Zeitalter des Konfessionalismus" eigens hervorhebt [60: Glaubenskämpfe, 15; DERS., Grundlagen und Wege, in: 101: 67-112, 67]. LUTZ klassifiziert die Zeit von 1519-1555 in einer herkömmlichen Weise als „Zeitalter Karls V.", läßt aber damit insgesamt das „Konfessionelle Zeitalter" beginnen [46: Reformation, 120 f.]. Tendenziell gehören zu den „Frühdatierern" auch RABE und ZIEGLER – WALTER ZIEGLER meint allerdings, diese Frühdatierung könne nur für Hessen verwendet werden; ebenso KLUETING, der 1525 den Übergang von der reformatorischen Volksbewegung zur Verstaatung datiert und dabei PETER BLICKLE folgt, ZIMMERMANN und WOHLFEIL [50: RABE, Reich, 327; 135: ZIEGLER, Territorium, 63 f.;

44: KLUETING, Zeitalter, 24 f.; BLICKLE, P., Die Reformation im Reich. Stuttgart 1982, bes. 134-146; 136: ZIMMERMANN, Einführung, 146-148; 58: WOHLFEIL, Einführung, 28 f.]. Dezidiert gegen 1550 oder 1555 als Zäsur wenden sich VAN DÜLMEN [36: Europa, 9] und WOLFGANG REINHARD [Konfession und Konfessionalisierung in Europa, in: DERS. (Hrsg.), Bekenntnis und Geschichte. Die Confessio Augustana im historischen Zusammenhang (Schriften der Philosophischen Fakultäten der Universität Augsburg 20). München 1981, 165-193]: „Das konfessionelle Zeitalter beginnt mit der Entwicklung von Confessiones in den 1520er Jahren und der CA als erstem Höhepunkt" [ebd., 188]. Hier muß darauf hingewiesen werden, daß bei REINHARD ein Widerspruch besteht zwischen seiner dezidierten Entscheidung zur Frühdatierung und seiner Parallelitätsthese, die ja auch eine zeitliche Parallelität ausdrücklich einschließt. Eine frühe Konfessionalisierung kommt aber auch REINHARD zufolge nur beim Luthertum und dem Zwinglianismus vor.

Die Zäsur von 1555 kann natürlich auch WALTER ZEEDEN für den Beginn der Konfessionalisierung im engeren Sinne halten [59: Zeitalter der Gegenreformation, 206 f.; 60: Glaubenskämpfe, 31; Periodisierung, in: 101: 60-66, 64]. In diesem Sinne akzentuieren auch ZIEGLER [135: Territorium, 62], WOHLFEIL [58: Einführung, 37] und ENGEL [Respublica christiana, 135].

Spätdatierung: – 1555 Start

Als eigentlichen Beginn der Konfessionalisierung dagegen interpretieren andere Autoren den Augsburger Religionsfrieden 1555. Durch die günstigen politischen und rechtlichen Rahmenbedingungen, die er geschaffen habe, werde, so meinen sie, die Konfessionalisierung in Gang gesetzt. ROBISHEAUX behält die traditionelle Handbuchperiodisierung „Reformationszeit (1517-1555)", „Konfessionelles Zeitalter (1555-1618)" bei und sagt nur statt „Gegenreformation" „Konfessionalisierung" [182: Rural Society, 2], ebenso operieren SCHRÖER [273: Kirche 2, Titel] und HEINZ SCHILLING mit diesem Handbuchschema. Nach SCHILLINGS gleich zu diskutierendem Vier-Phasen-Modell stellen die vierziger Jahre erst die „Anbahnung der Konfessionalisierung" dar [93: Konfessionalisierung im Reich, 14 f.]. Er redet deshalb von einer „Konfessionalisierung des ausgehenden 16. Jahrhunderts" [ebd., 15]. Auch ansonsten hat sich die Vorstellung, 1555 markiere den Beginn der Konfessionalisierung, bis in die neuesten Handbücher gehalten [58: WOHLFEIL, Einführung, 37-43; 41: HECKEL, Deutschland; 56: SCHULZE, Deutsche Geschichte, 253-282; WALLMANN, J., Kirchengeschichte Deutschlands seit der Reformation. Tübingen [3]1988].

Argumente für die Frühdatierung

Die Frühdatierung widerspricht offenbar der traditionellen Gliederung [44: KLUETING, Zeitalter, 21]. Sie bietet sich aber an, wenn man nicht von einer zeitlichen Abfolge Reformation – Gegenreformation ausgeht, sondern die Konfessionalisierung als Gesamtphänomen betrachtet, das in einzelnen Konfessionen unterschiedlich früh einsetzte. Gegenreformation und „Zweite Reformation" folgen jeweils auf eine Phase der informellen oder institutionellen Lutheranisierung. Für das Luthertum aber kann zwar 1555 als Schub interpretiert werden, nicht jedoch als Beginn einer institutionellen Organisation überhaupt. Die Konfessionalisierung als gesellschaftliche Verfestigung von konfessioneller Staatlichkeit mit ihrer starken lebensweltlichen Gestaltungskraft muß m.E. zeitlich differenziert betrachtet werden. Ich schließe mich der Meinung von PETER THADDÄUS LANG und ERNST WALTER ZEEDEN an: „Zeitlich gesehen beginnt die Konfessionsbildung dort, wo das mittelalterliche Kirchenwesen abgeändert oder neu organisiert wurde. Das geschah im Zuge der lutherischen, zwinglischen und calvinischen Bewegungen gelegentlich schon früh im Reformationsjahrhundert, mancherorts erst in dessen zweiter Hälfte" [74: LANG, Ausformung der Konfessionen, 13 f.]. Unter konzeptionellen Gründen sollte man sich für eine Frühdatierung entscheiden. Ob dabei die Idee ERNST WALTER ZEEDENS wieder stärker zum Tragen kommt, auch die Gegenreformation „ganz erheblich vor 1555 vorzuverlegen", bleibt abzuwarten [Periodisierung, in: 101: 60-66, 62 f.]. Aufgegriffen hat diese Idee jedenfalls die neue Gesamtdarstellung von HARM KLUETING [44: Zeitalter, 283], ohne daraus aber eine Periodenfolge abzuleiten. Zu einer „Phase der politischen Konfessionalisierung" im Katholizismus der Reichsstadt Überlingen hat WINFRIED ENDERLE die 1520er Jahre bis 1545 erklärt [222: Überlingen, 377 f., 380].

Phasenmodelle:

Den Versuch, eine andere Phaseneinteilung zu konstruieren, unternehmen drei neuere Arbeiten. HEINZ SCHILLING hat sein Modell in zwei Veröffentlichungen dargestellt, einmal im Tagungsband zur „Reformierten Konfessionalisierung", ein anderes Mal in der „Historischen Zeitschrift". Es sieht in beiden Texten jeweils etwas anders aus [HZ-Aufsatz = 93: Konfessionalisierung im Reich; Tagungsband = 314: „Zweite Reformation"]. SCHILLING geht bei seinen Phasen der Konfessionalisierung von einem zeitlich auf lutherische Orthodoxie, „Zweite Reformation" und Gegenreformation verengten Konfessionalisierungsbegriff aus, der sich der REINHARDschen Parallelitätsthese verpflichtet weiß [93: Konfessionalisierung im Reich, 6]. Logischerweise siedelt er das Phänomen selbst in der

Schillings Vier-Phasen-Modell

zweiten Hälfte des 16. Jahrhunderts an. Die späten 1540er Jahre bis in die frühen 1570er Jahre stellen bei ihm Phase 1 dar, „die vorkonfessionelle Phase“ [314: „Zweite Reformation“, 401]. Im HZ-Aufsatz geht diese Phase nur bis in die 1560er Jahre und heißt „Anbahnung der Konfessionalisierung“ [93: Konfessionalisierung im Reich, 14]. Diese Jahre sind gekennzeichnet durch einen funktionierenden Religionsfrieden. Abgelöst werden sie durch eine auf Auseinandersetzung gerichtete Versteifung der Fronten, sobald mit der radikalen evangelischen „Zweiten Reformation“ eine neue dynamische Kraft wirksam wird: von der Koexistenz zur Polarisierung [ebd., 11]. In dieser zweiten Periode der Konfessionalisierung, in der sich staatliche und konfessionelle Dynamik zur gesamtgesellschaftlichen Konfessionalisierung zusammenballen, können Teilabschnitte unterschieden werden. Phase 2 betitelt SCHILLING als „Überleitung zur konfessionellen Konfrontation“ [ebd., 19]. Die Herkunft seiner Periodisierung aus der Forschung über die „Zweite Reformation“ kann SCHILLING nicht verleugnen. Im Tagungsband wird das deutlich, indem hier Phase 2 „Krise des Philippismus“ heißt, also in direkte Beziehung zu seinem neuen Paradigma gesetzt wird [314: „Zweite Reformation“, 405.]. Phase 3 bilden die 1580er bis 1620er Jahre, sie sind der „Höhepunkt der Konfessionalisierung“ [93: Konfessionalisierung im Reich, 24]. Neuerdings stilisiert Schilling das späte 16. Jahrhundert – einen Ausdruck REINHART KOSELLECKS für die Jahre um 1800 aufgreifend und instrumentalisierend – zur „Vorsattelzeit der Moderne“ oder zur „Vorachsenzeit“ hoch, die, unterbrochen durch den Dreißigjährigen Krieg, insgesamt die frühneuzeitliche Modernisierung bewirkt habe [52: Deutschland, Überschrift des Kapitels VI, vgl. auch die zusammenfassende Thesenbildung 12, 315 f.]. Sie ist eine „Phase beschleunigten Wandels, gewissermaßen eine Vorsattelzeit ... Die gewaltige Anstrengung, die über Jahrhunderte in Europa Staat und Gesellschaft tief umformte, führte am Ende zur neuzeitlichen Rationalität und Modernisierung. Das meint im einzelnen eine Versachlichung in den gesellschaftlichen Beziehungen, ohne daß die für das Mittelalter charakteristischen personalen Strukturen bereits in den Hintergrund gedrängt wurden; eine zunehmende Differenzierung der politischen und sozialen Organisation; eine Professionalisierung und Akademisierung der Eliten; schließlich eine Disziplinierung als Fundamentalvorgang, der alle Bereiche des öffentlichen und privaten Lebens und alle sozialen Schichten erfaßte“ [ebd., 315]. Phase 4 wirkt etwas blaß: „Nach der Konfessionalisierung“ [314: „Zweite Reformation,

„Vor-Achsenzeit“ und „Vor-Sattelzeit“

410]. Sie gewinnt im HZ-Aufsatz etwas an Kontur. Sie trägt hier den Namen „Abschluß der Konfessionalisierung unter den Bedingungen des Krieges und auf der Basis des Westfälischen Friedens; Irenismus und Abschwächung des Konfessionalismus" [93: Konfessionalisierung im Reich, 28]. „Irenismus" als Nach- und Gegenbildung zu „Konfessionalismus" hat offensichtlich aber nicht die Qualität eines Wissenschaftsbegriffs, jedenfalls kommt er im folgenden Band nicht als Interpretament vor [SCHILLING, Höfe und Allianzen. Deutschland 1648-1763. Berlin 1989, Gliederung].

Zieglers Vier-Phasen-Modell

WALTER ZIEGLER [135: Territorium] unterscheidet ebenfalls vier Phasen: 1. Ausgangslage 1530-1540, 2. Das unsichere Gleichgewicht 1540-1560, 3. Die Konfessionalisierung 1560-1590, 4. Der konfessionelle Antagonismus 1590-1630. Wenn er sich auch auf eine Periodisierung des Phänomens „Konfessionalisierung" einläßt, so bekundet ZIEGLER doch Zweifel an seiner umfassenden Verwendbarkeit: Das Luthertum paßt seines Erachtens nicht in das Schema, weil seine Konfessionalisierung in den 1520er und 1530er Jahren einsetzte und die 1570er eine Akzentuierung, aber keine Wesensveränderung brachten [ebd., 63-65, 70]. Im Prinzip ähnelt sein Konzept dem SCHILLINGS, nur daß er einmal die Vorphase in die 1520er Jahre hinein verlängert, dann die Übergangsphase, wahrscheinlich zu Recht, ausläßt, schließlich die Konfessionalisierungsphase unterteilt. ZIEGLER könnte die Probleme, die ihm die Einordnung des Luthertums bereiten, lösen, wenn er sich zu einer Frühdatierung des Konfessionalisierungsprozesses entschlösse. Sehr deutlich wird bei ihm, daß er die Entscheidungen der Obrigkeiten, nicht dagegen den Stand der evangelischen Bewegung in den noch altgläubigen Territorien anspricht. So wird die Konfessionalisierung zu einem besonders deutlich herrschaftlichen Akt. Die Möglichkeit, daß hier ein Entscheidungsdruck „von unten" ausgeübt worden sein könnte, wird nicht diskutiert. Gleichzeitig wird der Blickwinkel vom Reich oder den zwischenstaatlichen Beziehungen her ausgerichtet, weshalb es zur Abspaltung einer Konfrontationsphase kommt. Die Konfessionalisierung als Periode von 30 Jahren ist natürlich längst nicht mehr das, was SCHILLING darunter gemeint hatte. Sie wird hier vielmehr durch Politisierung – im Sinne einer Ausrichtung an der politischen Geschichte – reduziert.

Wolgasts Fürstenreformations-Modell

EIKE WOLGAST [131: Reformation, 57-90] bietet strenggenommen keine Periodisierung, sondern ein Modell für die Fürstenreformation in unterschiedlicher Ausführung. Stets wird die entscheidende Rolle des Landesfürsten, der ein Territorium auch gegen den

Willen der Untertanen einem Bekenntnis zuführen konnte, betont [ebd., 61, 63]. Diese Sicht gleicht stark der ZIEGLERschen. Die Fürstenreformation konnte auf einer vollzogenen „Gemeindereformation" aufbauen, sie ordnen und einhegen (Typ 1), sie konnte ein katholisches Kirchentum umfunktionieren (Typ 2), oder sie war Spätreformation (Typ 3) [ebd., 65 f. zu den 3 Typen]. Es ist aber m.E. fraglich, ob diese Modellbildung taugt: Württemberg wird in Typ 2 eingeordnet. Hier hat also ein intaktes katholisches Land durch obrigkeitliche Entscheidung die Reformation vollzogen [ebd., 75]. Dabei ist unzweifelhaft, daß die Ziele einer starken evangelischen Bewegung im Lande, die den österreichischen gegenreformatorischen Versuchen widerstanden hatte, praktisch verwirklicht und eingehegt wurden. Die Kurpfalz als Muster der territorialen Spätreformation zu erklären läßt die vielen Stände, die diesen Schritt erst nach 1555 taten, leicht allesamt zu dem Sonderfall der Spätreformation werden. Auch hier wäre eine Einordnung in Typ 1 möglich und sinnvoll [ebd., 82]. Der Vorteil der WOLGASTschen Konzeption liegt, und deshalb wird sie hier zur Diskussion gestellt, darin, daß sie die Fürstenreformation als Territorialisierung des lokalen Ansatzes in der evangelischen Bewegung sieht. WOLGAST favorisiert damit die Frühdatierung und stellt sich in einen Gegensatz zu HEINZ SCHILLING [ebd., 87-89]. Die Tendenz bei ZIEGLER und noch stärker bei WOLGAST geht in Richtung auf eine Frühdatierung und konfligiert dadurch mit der REINHARDschen Parallelitätsthese.

Konfessionalisierung als „Einhegung der Gemeindereformation"?

Dadurch, daß die Schlußbemerkungen WOLGASTS von der ursprünglichen Konzeption der Dreiteilung eigentlich abgehen und Typus 1 verallgemeinern, rücken sie Reformation und (evangelische?) Konfessionalisierung als 2 Etappen eines einheitlichen Prozesses eng zusammen. Die Idee, Konfessionalisierung als Einhegung der Gemeindereformation zu begreifen, als deren Vollzug und Verkehrung qua Verstaatlichung, liegt in der Konsequenz dieser Darstellung. SCRIBNER hat diese Beziehung als „Erastianismus" bezeichnet [120: Paradigms]. Mir scheint der Begriff selber nicht ganz glücklich, die gemeinte Sache aber enorm wichtig. Sie eröffnet eine neue Sicht auf die „Fürstenreformation", indem sie sie als nachrevolutionäre Phase definiert, in der eine aktive Veralltäglichung der Reformation stattfindet, positiv: eine Verwirklichung ihrer Ziele, negativ: eine Verfremdung ihrer Gestalt [zum Veralltäglichungs-Paradigma KÄSLER, D., Revolution und Veralltäglichung. Eine Theorie postrevolutionärer Prozesse. München 1977].

## 6. Konfessionalisierung als Paradigma – Erkenntnisse und Desiderate

Die Konfessionalisierung ist von Ernst Walter Zeeden beschrieben worden als „die geistige und organisatorische Verfestigung der seit der Glaubensspaltung auseinanderstrebenden verschiedenen christlichen Bekenntnisse zu einem halbwegs stabilen Kirchentum nach Dogma, Verfassung und religiös-sittlicher Lebensform. Zugleich ihr Ausgreifen in die christliche Welt des frühneuzeitlichen Europas ... aber auch ihre Gestaltung durch außerkirchliche Kräfte, insbesondere die Staatsgewalt" [Grundlagen und Wege, in: 101: 67-112, 69]. Wenn man den Begriff des Kirchentums weit faßt, wie es die vorliegende Darstellung tut, dann liegt es nahe, Konfessionalisierung als gesamtgesellschaftliches Phänomen zu betrachten. Schon Ernst Troeltsch hat in diesem Sinne das 16. und große Teile des 17. Jahrhunderts als „das Konfessionelle Zeitalter" klassifiziert [Die Bedeutung des Protestantismus für die Entstehung der modernen Welt, in: HZ 97 (1906) 1-66, Zitat von 29]. Karl Eders Begriff des „konfessionellen Absolutismus" vermag vom Absolutismusbegriff her nicht zu passen, deutet aber in die Richtung der neuesten Forschungen, die den Absolutismusbegriff durch den der Sozialdisziplinierung sozialgeschichtlich auflösen [38: Kirche; vgl. 55: Schulze, Einführung, 66 f.].

Schilling: Konfessionalisierung als Kardinalvorgang mit Epochenqualität

In seinem 1981 erschienenen Buch „Konfessionskonflikt und Staatsbildung" [312: bes. 15-22] formulierte Heinz Schilling erstmals seine ganzheitliche Konzeption der Konfessionalisierung, nämlich „‚Konfessionalisierung' als Kardinalvorgang der Epoche zu begreifen, wobei die Interpretationskategorie ‚Konfessionalisierung', die eine wichtige Rolle bei der kirchen- und kulturgeschichtlichen Erschließung dieser Epoche spielte, konsequent zu einem gesellschaftsgeschichtlichen Paradigma umgeformt wurde" [93: Konfessionalisierung im Reich, 3 f., Zitat 4]. Sein Ziel markiert er deutlich. Es besteht darin, Sozialgeschichte für die Frühneuzeit zu treiben, ohne die religiöse Dimension zu verlieren [ebd., 15]. Gelingen kann dies seiner Meinung nach, indem der Ausgang von der religiösen Seite genommen wird und eine Leitkategorie dieses Bereichs sozialgeschichtlich aufgeladen wird, nämlich die Konfession. Die zeitgenössische Forschung, konkret angesprochen werden u.a. Peter Moraw und Volker Press [deren Arbeit „Probleme der Sozial- und Verfassungssgeschichte des Heiligen Römischen Reiches im späten

Mittelalter und in der frühen Neuzeit (13.-18. Jahrhundert)", in: ZHF 2 (1975) 95-108], kritisiert er, weil sie die kirchliche und konfessionelle Komponente ganz ausgeblendet hätte [312: Konfessionskonflikt, 15, Anm. 1]. Die „staatshistorische" Ausrichtung beklagt er auch bei J. ENGELS Darstellung des neuzeitlichen Europas [93: Respublica christiana, v.a. 124-148]. Ohne daß die gesamte Forschungsdiskussion, die SCHILLING vorführt, nachgezeichnet werden sollte, seien nur noch einige Andeutungen gemacht: Stets geht es SCHILLING darum, die Einheit von profaner und religiöser Wirklichkeit erkenntnismäßig zu sichern [93: Konfessionalisierung im Reich, 17, Anm. 5 Kritik an 51: ROMANO/TENENTI, Grundlegung]. Er wendet sich theoretisch gegen die Zentrierung auf „Ereignis-, Politik- oder Institutionengeschichte", wie sie VOLKER PRESS in seinem Buch „Calvinismus und Territorialstaat" [308] oder THOMAS KLEIN über die „Zweite Reformation in Kursachsen" [171] böten [93: SCHILLING, Konfessionalisierung im Reich, 18]. Am nächsten kommt seinen eigenen Vorstellungen offensichtlich der kulturgeschichtliche Ansatz, wie ihn ERNST WALTER ZEEDEN und seine Schule vertreten: „Es ist Zeedens Verdienst, die allgemeingeschichtliche Relevanz der frühneuzeitlichen Konfessionen wiederentdeckt zu haben" [312: SCHILLING, Konfessionskonflikt, 19 f., Zitat 20]. Diesen Ansatz will er offenbar entlang eines „religionssoziologischen Paradigmas" weiterentwickeln, das sich an die klassische Religionssoziologie MAX WEBERS und ERNST TROELTSCHS anschließt [ebd., 20 f.]. Dieses Vorhaben gelingt ihm in der anschließenden Durchführung nicht ganz, weil er selbst noch stark auf der politik-, rechts-, institutionen- und verfassungsgeschichtlichen Ebene argumentiert [vgl. die Ergebnisse, z. B. ebd., 365]. Daß dies durchaus seinem Selbstverständnis entspricht, belegt die Kritik an der Mentalitätsgeschichte: „Ansätze, die – wie etwa die Mentalitätsforschung – institutionelle und rechtsgeschichtliche Zusammenhänge weitgehend ausblenden, [können nur] wenig geeignet erscheinen, die gesellschaftsgeschichtliche Bedeutung der Religion in der Frühneuzeit voll zu erfassen" [ebd., 22].

Schulze: Konfessionalisierung sozialgeschichtlich relativieren!

Eine Kritik von der Seite der Sozialgeschichte, die ihre eigene Dimension zu verlieren fürchtet, ist nicht ausgeblieben. Allen diesen Konzeptionen, die in SCHILLINGS „gesamtgesellschaftliche Grundkategorie Konfessionalisierung" münden, ist die Annahme eigen, die Religion in ihrer konfessionellen Gestalt sei allgegenwärtig, weshalb „Konfessionalisierung" das Gesamt der Zeit erfasse. Im Gegensatz dazu stehen einmal „Positionen die den Faktor Religion gleichsam als Sektor der gesellschaftlichen Realität dieser Epoche ansehen, also etwa gleichsetzen mit Wirtschaft, Politik oder Kultur. Damit ließe sich das Konfessionsproblem abhandeln wie die Frage der landständischen Verfassung im 16. Jahrhundert. Daneben stehen Positionen, die Konfession im Rahmen eines sozialgeschichtlich definierten Erkenntnisinteresses sehen. RAINER WOHLFEIL hat diese Position vor allem expliziert. Er geht dabei von einer Grundkategorie der ‚Gesellschaft' aus, durch die alle Teilbereiche der historischen Wirklichkeit in einen großen Wirkungszusammenhang eingeschmolzen werden. Man könnte hier verdeutlichend von einer ‚Vergesellschaftung' des Faktors Konfession sprechen" [55: SCHULZE, Einführung, 195 f.]. SCHILLINGs Auffassung widerspricht SCHULZE deutlich: „Eine sozialgeschichtliche Konzeption wird religiöse Fragen stärker in die Gesamtgesellschaft einordnen und damit relativieren als eine Auffassung, die Konfession als Grundkategorie ansieht und die Dignität dieser Probleme zu bewahren sucht. Es erhebt sich freilich die Frage, ob damit nicht Zugänge zur konfessionellen Problematik verschlossen werden. Da das konfessionelle Zeitalter uns heute vor allem als ‚Inkubationszeit der Moderne' (so ein Ausdruck von PAUL MÜNCH) interessiert, scheint mir ein sozialgeschichtlich relativierender, dafür aber auf Wirkungsanalysen abzielender Ansatz der angemessenere als das von SCHILLING entwickelte Alternativmodell" [ebd., 196 – vgl. DERS., Rezension von Nr. 312: SCHILLING, Konfessionskonflikt, in: ZHF 12 (1985) 104-107, bes. 107]. Im gleichen Sinne urteilt THOMAS ROBISHEAUX, der das konfessionelle Zeitalter immer noch in rein politischen und theologischen/religiösen Begriffen gefaßt findet: „Die Idee, daß die Sozialgeschichte dieser Zeit eine andere Konzeption erfordert, ist noch nicht besonders stark akzeptiert worden" [182: Rural Society, 2, vgl. weiter 3]. Man wird diese Einwände ernst nehmen müssen, besonders angesichts von Tendenzen in neuesten Veröffentlichungen, die gesamtgesellschaftliche Relevanz der Konfessionalisierung zur effektiven gesamtgesellschaftlichen Gestaltungkraft und Gestaltungswirklichkeit überzubewerten: „Dabei war der Konfessionalisierungsprozeß nicht auf den kirchlichen Bereich beschränkt, sondern erfaßte alles Öffentliche und alles Private und drang tief ein in die Politik" [44: KLUETING, Zeitalter, 109]. Sicher hat die Konfessionalisierung nicht „alles Private" und „alles Öffentliche" erfaßt, aber sie hat (z.B. im Bereich Ehe) tief in den privaten Bereich gestaltend eingegriffen. Wenn dieser terminologische Absolutismus einem sozialhistorischen Relativismus Platz macht, dann kann man – ohne Verlust der religiösen wie der sozialgeschichtlichen Dimension – Konfessionalisierung als den die Zeit vom Ende der Reformation bis zum Ende des 17. Jahrhunderts charakterisierenden Hauptstrom anerkennen und so ZEEDENS Wunsch, den Begriff der „Gegenreformation" als Epochenbegriff abzulösen, endlich nachkommen [Periodisierung, in: 101: 60-66, 61].

Die Gefahr, die religiöse Dimension zu verlieren, die SCHILLING beschwört, ist m.E. nicht gegeben, diese Dimension muß überhaupt erst gewonnen werden, und zwar als Geschichte der Gläubigen. Die jüngsten Tagungen über die reformierte und die lutherische Konfessionalisierung [311: SCHILLING (Hrsg.), Die reformierte Konfessionalisierung; 184: RUBLACK (Hrsg.), Konfessionalisierung im Luthertum] dokumentieren vielmehr ein anderes Manko der deutschen Kirchengeschichte: ihr Verhaftetsein in der Theologiegeschichte und der Geistes- wie Kulturgeschichte der Elite, speziell der theologischen. Die Aufforderung CRAIG HARLINES, beim Studium der Volksfrömmigkeit nicht die differenzierte, vielschichtige Elitenfrömmigkeit zu vernachlässigen [71: Official Religion, bes. 240 f., 244 f., 248 f.] trifft insofern kaum auf die Geschichte der Konfessionalisierung in Deutschland zu, als hier eine Hinwendung zur Masse der Menschen und ihrer Adaptionsprozesse der Konfessionalisierung noch nicht in der Stärke erfolgt ist wie in der englischen oder französischen Historiographie, mit der er sich fast ausschließlich beschäftigt. Die Richtung „Sozialgeschichte" innerhalb eines weitreichenden Konfessionalisierungs-Paradigmas wird in Zukunft von unten her aufgebaut werden müssen. Grundlagen dazu hat in Deutschland besonders die ZEEDEN-Schule gelegt, zu der PAUL MÜNCH und PETER THADDÄUS LANG gehören. Ansatzweise geschieht dies auch – unabhängig von SCHILLING – durch ALOIS HAHN, besonders aber durch BERNARD VOGLER [57, 125, 126, 127, 128, 129, 318] und auch in der neuesten Arbeit von RONNIE HSIA [111: Social Discipline, 5]. Doch machen die ZEEDEN-Schule und BERNARD VOGLER allein noch keinen Paradigmenwandel. Weiter gilt die Klage WOLFGANG SCHIEDERS von 1977, in Deutschland sei Religionsgeschichte als Sozialgeschichte weitgehend inexistent; die Sozialgeschichtler überließen die Kirchengeschichte den Kirchengeschichtlern, und die trieben theologische Kirchengeschichte: Es ist „auffällig, daß ‚Religion' für die deutschen Kirchenhistoriker, anders als z.B. in Frankreich (man denke an EMILE POULAT), so gut wie ausschließlich in der institutionalisierten Form von ‚Kirche' relevant ist. Kirchengeschichte ist weitgehend Geschichte der Kirchen geblieben und nicht zur Religionsgeschichte ausgeweitet worden, wie

Konfessionalisierung als Geschichte der Gläubigen schreiben!

das z.B. von ERNST TROELTSCH schon Ende des vorigen Jahrhunderts gefordert worden ist" [92: Religionsgeschichte, 290]. Es scheint dringend geboten, im Sinne ERNST WALTER ZEEDENS, die Kirchengeschichte zur Geschichte der Gläubigen zu weiten und damit einen Prozeß nachzuholen, den die französische Historiographie bereits zurückgelegt hat [90: RIEKS, Mentalitätsgeschichte, u.a. 58, 61 f.]. Sie hat den Paradigmenwechsel von der theologischen zur sozialgeschichtlichen Kirchengeschichte vollzogen [ebd., 62 f.], während die deutsche in Gestalt HEINZ SCHILLINGS erst bis zur Institutionengeschichte vorgedrungen ist.

Desiderate der Forschung

Desiderate der Forschung zu benennen, muß an diese Annahme einer „gesamtgesellschaftlich relevanten" Konfessionalisierung anknüpfen. Die folgenden Bemerkungen münzen die oben gemachte Kritik aus:

Visitationen

1. Die Visitationsforschung wird zur angestrebten Geschichte der Gläubigen in der Epoche der Konfessionalisierung den gewichtigsten Beitrag leisten können. Sie beginnt seit einiger Zeit, sich zu einem gewissen Schwerpunkt zu entwickeln, ohne allerdings über Grundlagen wie die bibliographische Erfassung der Akten weit hinausgekommen zu sein. Die Lage hat sich seit dem Referat PAUL MÜNCHS 1978 nicht wesentlich verändert: „Die Visitationsforschung steckt insgesamt noch in den Anfängen, doch zeigt sich schon jetzt, daß Visitationsakten häufig einzigartige Quellen für eine Reihe von Phänomenen darstellen ... Ansätze zu komparativer Auswertung sind allenfalls innerhalb einer Konfession zu beobachten. Wünschenswert scheint mir eine vergleichende Behandlung quer durch die Konfessionen. Erst wenn man dazu übergeht, wird man einigermaßen gesicherte Urteile über den tatsächlichen Bekenntnisstand und die Praxis des kirchlich-sittlichen Lebens der entstehenden Konfessionen fällen können" [305: Zucht und Ordnung, 156, Anm. 233]. Noch 1984 mußte PETER THADDÄUS LANG dieses Urteil wiederholen: „Dieser Prozeß der Stabilisierung [der Konfessionen durch Visitation] ist in Deutschland noch sehr ungenügend erforscht worden. Obwohl die Bedeutung der Visitationsakten als historische Quelle schon lange bekannt ist, konzentrierte sich die deutsche Forschung auf die oberen Ränge der Hierarchie und schenkte den Vorgängen auf der Ebene des Niederkirchenwesens wenig Beachtung" [75: Kirchenvisitation, 207]. Hier hat die deutsche Historiographie „noch keineswegs den Anschluß an die internationale Forschung gefunden", besonders die Frankreichs und Englands [ebd., 209]. Ein eigenständiger Beitrag der deutschen Ge-

schichtsforschung zum Problemfeld der Mentalitätsgeschichte und besonders zur „Akkulturation" oder „Christianisierung" der Bevölkerung steht weitgehend noch aus.

2. Die Konvergenz der beiden Paradigmen „Konfessionalisierung" und „Sozialdisziplinierung" erklärt sich aus der Sittenzucht, die alle Bekenntnisse mehr oder weniger streng betrieben haben. Die reformierten Territorien, aber auch lutherische wie Württemberg mit seinen Kirchenkonventen, lokalen lutherischen Presbyterien, haben Sittengerichte installiert, deren Akten bis auf wenige Ausnahmen noch nicht systematisch und – was nötig ist – quantifizierend ausgewertet worden sind. Lediglich Heinz Schilling für Emden und Bernard Vogler für die Pfalz haben hier Vorarbeiten geleistet. Katholische Konsistorialprotokolle, wie sie Stefan Breit für Bayern ausgewertet hat, leisten streckenweise das gleiche für das Gebiet der geistlichen Gerichtsbarkeit. Die Analyse der Sittengerichtsakten muß neben die Visitationsforschung treten.

Sittenzucht

3. Die bekannte Vermischung von Kirchlichem und Staatlichem hat in den Niedergerichtsakten vielfältige Spuren der Sozialdisziplinierung, der „Sündenzucht" und der Konfessionalisierung hinterlassen. Hier liegen serielle Quellen für alle Konfessionen vor, die parallel und ergänzend zu den Visitations- und den Sittengerichtsakten herangezogen werden können. Ihre Menge und „Objektivität" kann auch dazu beitragen, die schwer interpretierbaren Urteile der Visitationen zu überprüfen. Ehe und Familie werden wesentliche Knotenpunkte darstellen, an denen staatliche Intervention und lokale Nachfrage einander begegneten.

Niedergerichtsakten

4. Die Geschichte der Alphabetisierung und des Niederschulwesens insgesamt stellt ein dringendes Desiderat der Forschung dar. Der zunehmende Grad der Schreibfähigkeit in der Bevölkerung dient nicht nur als Indikator für eine stärker auf Predigt und Katechese ausgerichtete Konfessionalisierung in allen Kirchen. Sie stimuliert auch die schriftliche Beschäftigung mit dem eigenen Gewissen in Form von Tagebüchern, Memoiren und Briefen. Diese „Ego-Quellen", wie sie für England von Kaspar von Greyerz untersucht worden sind, erlauben einen tieferen Einblick in das Denken und Glauben einzelner Menschen als es Visitationen können [Vorsehungsglaube und Kosmologie. Studien zu englischen Selbstzeugnissen des 17. Jahrhunderts. Göttingen/Zürich 1990].

Alphabetisierung

5. Weithin wenig erforscht ist auch das religions- und kirchenpolitische Wirken des Adels, dessen Bedeutung etwa in der Geschichte des Protestantismus in Österreich oder in den geistlichen

Adel

Fürstentümern unverkennbar ist [270: SCHOLZ, Kirchenpolitik, 202]. Gesamteuropäisch gesehen scheint sich eine Beziehung von Calvinismus und Adelswiderstand abzuzeichnen, wenn man an England, die Niederlande, Böhmen, Frankreich und Schottland denkt. Doch ist das Luthertum im Reich ebenfalls als Wert sichtbar geworden, der Widerstand rechtfertigt. Für den katholischen Adel in protestantisch werdenden Territorien deutet sich ein ähnlicher Zusammenhang von Konfessionalisierung und Verfassungskonflikten an. Diese Frage müßte verknüpft werden mit der allgemeineren, inwieweit auf territorialstaatlicher Ebene überhaupt die Verfassungsgeschichte mit der Konfessionalisierungsproblematik vermittelt ist.

Indifferente

6. Wenn man die gesamtgesellschaftliche Relevanz der Konfessionalisierung anerkennt, muß man sich gleichzeitig bewußt bleiben, daß es Bereiche gegeben hat, die von ihr weitgehend unberührt geblieben sind. Nicht „alles" wurde konfessionalisiert. Die Geschichte der Indifferenten, vielleicht gar der Ungläubigen in diesem so gläubigen Zeitalter ist noch zu schreiben. Ihre Bedeutung wächst noch, wenn man sich bewußt macht, daß ganz Europa am Prozeß der Säkularisierung teilgenommen hat, der in einer eigenartigen, noch nicht geklärten Weise mit der Konfessionalisierung verknüpft ist.

Das Interesse an Alltagsgeschichte, das heute bemerkenswerte Ausmaße annimmt, dürfte vermutlich dazu beitragen, auch die „öde" nachreformatorische Zeit stärker zu erforschen. Sie ist vielleicht sogar besser als Höhepunkte wie die Reformation geeignet, die Rolle von Glauben und Religion für das Alltagsleben der Menschen erkennbar werden zu lassen. Die „Konfessionalisierung" wird zu einem sozialgeschichtlichen Konzept ausgebaut werden müssen, was sie bisher noch nicht ist. Das lange 16. Jahrhundert ist eine Zeit „verdichteter Christlichkeit". Das Kardinalproblem liegt darin, den Grad der Verchristlichung zu bestimmen und zu ermessen, wieweit die Konfession die Gesellschaft und langfristig die Mentalität der Bevölkerung umgeprägt hat. Damit berührt die Frage nach der Konfessionalisierung die große internationale Diskussion über die Volkskultur. In den Familien, Nachbarschaften, Dörfern und Städten, sozusagen „vor Ort", trifft die Konfessionalisierung auf eine in sich kohärente und funktionale Kultur des Volkes, die sie verändert, soweit es ihr gelingt, zu den Menschen selbst vorzudringen, also adaptiert zu werden. Mit der Konfessionalisierungsfrage ist die Diskussion über das 16. und das frühe 17. Jahrhundert mit der Perspektive neu eröffnet, historische Konzepte künftig stärker aus dem Leben der einfachen Menschen zu entwickeln.

# III. Quellen und Literatur

Weil der Raum sehr knapp bemessen ist, konnten nicht alle Titel aus den Teilen I und II in die Bibliographie aufgenommen werden. An der betreffenden Stelle sind diese deshalb vollständig zitiert. Vorwiegend wird die neueste Literatur genannt; ältere Titel konnten nur ausnahmsweise erwähnt werden; Lexikonartikel wurden nicht berücksichtigt; in Einzelfällen konnten Beiträge zu Sammelbänden nicht einzeln aufgeführt werden. Angesichts der Fülle lokaler und regionaler Studien ist auch die neuere Forschung nur ausschnitthaft dokumentiert. Quelleneditionen werden auswahlweise genannt, soweit sie nicht in den Quellenkunden (z.B. Nr. 23 oder 28) zu finden sind.

Möglichst wurden Titel genannt, mit deren Hilfe der Leser selbständig weiterbibliographieren kann. Die Kenntnis der einschlägigen Hilfsmittel und Lexika wird dabei vorausgesetzt (vgl. BAUMGART, W., Bücherverzeichnis zur deutschen Geschichte. München 5. Aufl. 1982).

Die Abkürzungen entsprechen den Siglen der Historischen Zeitschrift.

Die Titel wurden möglichst nach der Konfessionszugehörigkeit des behandelten Territoriums eingeordnet. Wenn die Konfession häufig oder spät wechselte, war die Zuordnung schwierig. In der Regel wurden Territorien, die irgendwann zum Reformiertentum übertraten, diesem zugeordnet, solche, die lutherisch wurden und blieben, dem Luthertum, nominell katholisch bleibende oder vor 1600 wieder werdende Territorien wurden als „katholische Kirchentümer“ eingestuft, unabhängig davon, ob sie zum Teil oder mehrheitlich evangelisch waren oder nicht. Einzelne wurden nach der um 1600 vorherrschenden Konfession eingeordnet (z.B. Baden-Baden).

## A. Quellen

### 1. Protestantische Kirchentümer

1. Die Bekenntnisschriften der evangelisch-lutherischen Kirche, hrsg. v. Rat der EKD. Göttingen [10]1986 ⟨1. Auflage: 1952⟩.
2. Corpus Reformatorum, Bd. 1-28: Philipp Melanchthon. Braunschweig 1834-1860, Neudruck New York/London/Frankfurt a.M. 1963; Bd. 29-87: Johannes Calvin. Braunschweig 1863-1900, Neudruck 1964; Bd. 88-101: Huldrych Zwingli. Berlin/Leipzig 1905-1968.

3. Gabler, A., Altfränkisches Dorf- und Pfarrhausleben 1559-1601 ... nach den Tagebüchern des Pfarrherrn Thomas Wirsing von Sinnborn. Nürnberg 1952.
4. Luther, M., D. Martin Luthers Werke. Weimarer Ausgabe, 101 Bde in 4 Reihen. Weimar 1883-1970.
5. Niesel, W. (Hrsg.), Bekenntnisschriften und Kirchenordnungen der nach Gottes Wort reformierten Kirche (1542-1934). Zollikon [3]1938.
6. Reu, J. M. (Hrsg.), Quellen zur Geschichte des kirchlichen Unterrichts in der evangelischen Kirche Deutschlands zwischen 1530 und 1600, 5 Bde. Gütersloh 1904-1935.
7. Sehling, E. (Hrsg.), Die evangelischen Kirchenordnungen des 16. Jahrhunderts, bisher Bde 1-8, 11-15. Leipzig 1902-1913. Tübingen 1955 ff., letzter Bd. 1980.
8. Simons, E. (Hrsg.), Synodalbuch. Die Akten der Synoden und Quartierkonsistorien in Jülich, Cleve und Berg, 1570-1610. Neuwied 1909.

## 2. Katholische Kirchentümer

9. Bahlmann, P. (Hrsg.), Deutschlands katholische Katechismen bis zum Ende des 16. Jahrhunderts. Münster/Regensburg 1894.
10. Braunsberger, O. (Hrsg.), Petri Canisii SJ Epistolae et Acta, 8 Bde. Freiburg i.Br. 1896-1923.
11. Buckisch, G. F. (Hrsg.), Schlesische Religions-Akten 1517 bis 1675, Bd. 1: Einführung, bearb. von J. Gottschalk u.a., Bd. 2: [in Vorbereitung]. Köln 1982.
12. Concilium Tridentinum. Diariorum, Actorum, Epistolarum, Tractatuum Nova Collectio, Bd. I-III (Tagebücher) (1901-32); Bd. IV-IX (Akten) (1916-72); Bd. X-XI (Briefe) (1916-37); Bd. XII-XIII (Traktate) (1930-38). Freiburg i.Br. 1901-1972.
13. Corpus Catholicorum: Werke katholischer Schriftsteller im Zeitalter der Glaubensspaltung, bislang 38 Bde. Münster 1919 ff.
14. Immenkötter, H. (Bearb.), Die Protokolle des Geistlichen Rates in Münster. Münster 1972.
15. Landersdorfer, A. (Hrsg.), Das Bistum Freising in der bayerischen Visitation des Jahres 1560. St. Ottilien 1986.
16. Loserth, J. (Hrsg.), Acten und Correspondenzen zur Geschichte der Gegenreformation in Innerösterreich unter Erzherzog Karl II. (1578-1590). Wien 1898.
17. Loserth, J. (Hrsg.), Akten und Korrespondenzen zur Geschichte der Gegenreformation in Innerösterreich unter Ferdinand II., 2 Teile. Wien 1906/07.
18. Nuntiaturberichte aus Deutschland nebst ergänzenden Aktenstücken, 4 Abteilungen und Ergänzungsbde (1533-1648). Gotha/Tübingen u.a. 1892-1981.
19. Pfeilschifter, G. (Hrsg.), Acta Reformationis Catholicae Ecclesiam Germaniae Concernentia saeculi XVI. Die Reformverhandlungen des deutschen Episkopats von 1520 bis 1570, 6 Bde. Regensburg 1959-1974.

# B. Literatur

## 1. Bibliographien und Quellenkunden


20. Archiv für Reformationsgeschichte. Literaturbericht. Gütersloh 1972 ff.
21. Bibliographie de la Réforme 1450-1648 (Ouvrages parus de 1940 à 1955) [Bd. 6 ff.: bis 1960], 7 Bde. Leiden 1960-1970.
22. DAHLMANN-WAITZ. Quellenkunde der deutschen Geschichte. Bibliographie der Quellen und der Literatur zur deutschen Geschichte der Neuzeit von 1500 bis zur Gegenwart, hrsg. v. Heimpel, H./Geuss, H., Bd. 6. Stuttgart [10]1987, bes. Fünftes Buch: Reformation und Konfessionskriege, Abschnitt 275-278.
23. DOTZAUER, W. (Bearb.), Quellenkunde zur deutschen Geschichte der Neuzeit 1: Das Zeitalter der Glaubensspaltung (1500-1618). Darmstadt 1987.
24. POLGÁR, L. (Hrsg.), Bibliographie sur l'histoire de la Compagnie de Jésus, 1901-1980, Bd. 1: Toute la Compagnie, Bd. 2: Les Pays. Rom 1981, 1983.
25. Revue d'histoire ecclésiastique. Bibliographie. Löwen 1900 ff.
26. SCHOTTENLOHER, K. (Hrsg.), Bibliographie zur deutschen Geschichte im Zeitalter der Glaubensspaltung 1517-1585, 7 Bde. Leipzig 1933-1966.
27. ZEEDEN, E. W. (Hrsg.), Repertorium der Kirchenvisitationsakten aus dem 16. und 17. Jahrhundert, bisher 2 Bde (Hessen, Baden-Württemberg). Stuttgart 1982 ff.
28. ZEEDEN, E. W./MOLITOR, H. (Hrsg.), Die Visitation im Dienst der kirchlichen Reform, mit einer Bibliographie gedruckter und einem archivalischen Verzeichnis ungedruckter Visitationsquellen. Münster [2]1977 ⟨1. Auflage: 1967⟩.


## 2. Gesamtdarstellungen, Handbücher


29. ANDRESEN, C. (Hrsg.), Handbuch der Dogmen- und Theologiegeschichte, Bd. 2: Die Lehrentwicklung im Rahmen der Konfessionalität. Göttingen 1980.
30. BÄUMER, R./GANOCZY, A./MOELLER, B., Geschichte der Reformation, der katholischen Reform und der Gegenreformation (Ökumenische Kirchengeschichte, hrsg. v. Kottje, R./Moeller, B., Bd. 2). Mainz/München [3]1983 ⟨1. Auflage: 1973⟩.
31. BIZER, E., Reformationsgeschichte 1532 bis 1555, in: Ders./Lau, F., Reformationsgeschichte Deutschlands bis 1555. Göttingen [2]1969, 67-170.
32. BOSSY, J. A., Christianity in the West 1400-1700. Oxford/New York 1987.
33. BRECHT, M./EHMER, H., Südwestdeutsche Reformationsgeschichte. Zur Einführung der Reformation im Herzogtum Württemberg 1534. Stuttgart 1984.
34. DELUMEAU, J., Le catholicisme entre Luther et Voltaire. Paris 1971.
35. DELUMEAU, J., Naissance et affirmation de la Réforme. Paris 1968.

36. Dülmen, R. van, Die Entstehung des frühneuzeitlichen Europa 1550-1648. Frankfurt a.M. 1982.
37. Eberlein, H., Schlesische Kirchengeschichte. Goslar $^{4}$1962.
38. Eder, K., Die Kirche im Zeitalter des konfessionellen Absolutismus 1555 bis 1648. Wien 1949.
39. Engel, J., Von der spätmittelalterlichen respublica christiana zum Mächteeuropa der Neuzeit, in: Ders. (Hrsg.), Die Entstehung des neuzeitlichen Europa. Stuttgart 1971, 1-443.
40. Hashagen, J., Staat und Kirche vor der Reformation. Essen 1931.
41. Heckel, M., Deutschland im konfessionellen Zeitalter. Göttingen 1983.
42. Iserloh, E./Glazik, J./Jedin, H., Reformation, katholische Reform und Gegenreformation (Handbuch der Kirchengeschichte, Bd. 4), Freiburg i.Br./Basel/Wien $^{2}$1975 ⟨1. Auflage: 1967⟩.
43. Jedin, H./Latourette, K. S./Martin, J. (Hrsg.), Atlas zur Kirchengeschichte. Freiburg i.Br. u.a. Neuauflage 1987 ⟨zuvor: 1970⟩.
44. Klueting, H., Das Konfessionelle Zeitalter 1525-1648. Stuttgart 1989.
45. Lau, F., Reformationsgeschichte bis 1532, in: wie Nr. 31, 1-65.
46. Lutz, H., Reformation und Gegenreformation. München $^{2}$1982 ⟨1. Auflage: 1979⟩.
47. Moeller, B., Deutschland im Zeitalter der Reformation. Göttingen $^{2}$1981.
48. Patze, H. (Hrsg.), Geschichte Niedersachsens, Teil III, Bd. 2: Kirche und Kultur von der Reformation bis zum Beginn des XIX. Jahrhunderts. Hildesheim 1983.
49. Petri, F., Im Zeitalter der Glaubenskämpfe (1500-1648), in: Ders./ Droege, G. (Hrsg.), Rheinische Geschichte, Bd. 2. Düsseldorf $^{3}$1980, 1-217.
50. Rabe, H., Reich und Glaubensspaltung. Deutschland 1500-1600. München 1989.
51. Romano, R./Tenenti, A., Die Grundlegung der modernen Welt – Spätmittelalter, Renaissance, Reformation. Frankfurt a.M. 1967.
52. Schilling, H., Aufbruch und Krise. Deutschland 1517-1648. Berlin 1988.
53. Schindling, A./Ziegler, W. (Hrsg.), Die Territorien des Reichs im Zeitalter der Reformation und Konfessionalisierung. Land und Konfession 1500-1650, 5 Bde, bisher erschienen Bd. 1: Der Südosten, Bd. 2: Der Nordosten, Bd. 3: Der Nordwesten. Münster 1989, 1990, 1991.
54. Schröer, A., Die Reformation in Westfalen. Der Glaubenskampf einer Landschaft, 2 Bde. Münster 1979, 1983.
55. Schulze, W., Einführung in die Neuere Geschichte. Stuttgart 1987.
56. Schulze, W., Deutsche Geschichte im 16. Jahrhundert, 1500-1618. Frankfurt a.M. 1987.
57. Vogler, B., Histoire générale. Le monde germanique et helvétique à l'époque des Réformes 1517-1618, 2 Bde. Paris 1981.
58. Wohlfeil, R., Einführung in die Geschichte der deutschen Reformation. München 1982.
59. Zeeden, E. W., Das Zeitalter der Gegenreformation. Freiburg i.Br./Basel/Wien 1967.
60. Zeeden, E. W., Das Zeitalter der Glaubenskämpfe 1555-1648 (Gebhardt. Handbuch der deutschen Geschichte, dtv-Ausgabe Bd. 9). Stuttgart 1970.

## 3. Konfessionsübergreifende Darstellungen, Sammelbände

61. Bäumer, R., Die Erforschung der kirchlichen Reformationsgeschichte seit 1931. Reformation, katholische Reform und Gegenreformation in der neueren katholischen Reformationsgeschichtsschreibung in Deutschland, in: wie Nr. 73, 39-157.
62. Baumgart, P., Humanistische Bildungsreform an deutschen Universitäten des 16. Jahrhunderts, in: Reinhard, W. (Hrsg.), Humanismus und Bildungswesen des 15. und 16. Jahrhunderts. Weinheim 1984, 171-197.
63. Blumenberg, H., Säkularisierung und Selbstbehauptung. Neuausgabe von „Die Legitimität der Neuzeit", 2 Teile. Frankfurt a.M. 1974.
64. Bornkamm, H., Das Jahrhundert der Reformation. Gestalten und Kräfte. Frankfurt a.M. ³1983 ⟨1. Auflage: 1961⟩.
65. Brandmüller, W./Immenkötter, H./Iserloh, E. (Hrsg.), Ecclesia militans. Studien zur Konzilien- und Reformationsgeschichte. Fs. Remigius Bäumer, 2 Bde. Paderborn/München/Wien/Zürich 1988.
66. Brecht, M., Gesamtdarstellungen des Zeitalters der Reformation und des Konfessionalismus, in: Verkündigung und Forschung. Beihefte zu „Evangelische Theologie" 25 (1980) 74-119.
67. Bücking, J., Reformversuche an den deutschen Universitäten in der frühen Neuzeit, in: Nr. 87, 355-369.
68. Dülmen, R. van, Volksfrömmigkeit und konfessionelles Christentum im 16. Jahrhundert, in: Schieder, W. (Hrsg.), Volksreligiosität in der modernen Sozialgeschichte. Göttingen 1986, 14-30.
69. Franz, G. (Hrsg.), Beamtentum und Pfarrerstand 1400-1800. Limburg/Lahn 1972.
70. Franzen, A., Die Herausbildung des Konfessionsbewußtseins am Niederrhein im 16. Jahrhundert, in: Annalen des Historischen Vereins für den Niederrhein 158 (1956) 164-209.
71. Harline, C., Official Religion – Popular Religion in Recent Historiography of the Catholic Reformation, in: ARG 81 (1990) 239-262.
72. Heckel, J., Cura religionis, ius in sacra, ius circa sacra. Darmstadt ²1962 ⟨1. Auflage: 1938⟩.
73. Jedin, H., Die Erforschung der kirchlichen Reformationsgeschichte seit 1876. Leistungen und Aufgaben der deutschen Katholiken, in: Ders./Bäumer, R., Die Erforschung der kirchlichen Reformationsgeschichte. Darmstadt 1975, VII-38.
74. Lang, P. T., Die Ausformung der Konfessionen im 16. und 17. Jahrhundert. Gesichtspunkte und Forschungsmöglichkeiten, in: Valentin, J.-M. (Hrsg.), Gegenreformation und Literatur. Beiträge zur interdisziplinären Erforschung der katholischen Reformbewegung. Amsterdam 1979, 13-19.
75. Lang, P. T., Die Bedeutung der Kirchenvisitation für die Geschichte der Frühen Neuzeit. Ein Forschungsbericht, in: Rottenburger Jahrbuch für Kirchengeschichte 3 (1984) 207-212.
76. Lang, P. T., Konfessionsbildung als Forschungsfeld, in: HJb 100 (1980) 479-493.
77. Langer, H., Religion, Konfession und Kirche in der Epoche des Übergangs vom Feudalismus zum Kapitalismus, in: ZfG 32 (1984) 110-124.

78. LIVET, G. (Hrsg.), Sensibilité religieuse et discipline ecclésiastique. Les visites pastorales en territoires protestants (Pays rhénans, comté de Montbéliard, pays de Vaud) XVIe-XVIIIe siècles. Straßburg 1973.

79. LUTTENBERGER, A. P., Glaubenseinheit und Religionsfriede. Konzeptionen und Wege konfessionsneutraler Reichspolitik 1530-1552 (Kurpfalz, Jülich, Kurbrandenburg). Göttingen 1982.

80. MAIER, H./PRESS, V. (Hrsg.), Vorderösterreich in der frühen Neuzeit. Sigmaringen 1989.

81. MOLITOR, H., Frömmigkeit in Spämittelalter und früher Neuzeit als historisch-methodisches Problem, in: Nr. 87, 1-20.

82. MÜLLER, G. (Hrsg.), Die Religionsgespräche der Reformationszeit. Gütersloh 1980.

83. MÜLLER, G., Visitationsakten als Geschichtsquelle, in: Deutsche Geschichtsblätter 8 (1907) 287-316, 16 (1915) 1-32, 17 (1916) 279-309.

84. OESTREICH, G., Geist und Gestalt des frühmodernen Staats. Berlin 1969.

85. OESTREICH, G., Strukturprobleme der frühen Neuzeit. Berlin 1980.

86. PRESS, V., Kommunalismus oder Territorialismus? Bemerkungen zur Ausbildung des frühmodernen Staates in Mitteleuropa, in: Timmermann, H. (Hrsg.), Die Bildung des frühmodernen Staates – Stände und Konfessionen. Saarbrücken 1989, 109-135.

87. RABE, H./MOLITOR, H./RUBLACK, H. (Hrsg.), Festgabe für Ernst Walter Zeeden zum 60. Geburtstag. Münster 1976.

88. REINHARD, W., Gegenreformation als Modernisierung? Prolegomena zu einer Theorie des konfessionellen Zeitalters, in: ARG 68 (1977) 226-252.

89. REINHARD, W., Zwang zur Konfessionalisierung? Prolegomena zu einer Theorie des konfessionellen Zeitalters, in: ZHF 10 (1983) 257-277.

90. RIEKS, A., Die französische Sozial- und Mentalitätsgeschichte als Basis einer Geschichte des glaubenden Menschen, in: ZKiG 101 (1990) 58-79.

91. SCHEUNER, U., Staatsräson und religiöse Einheit des Staates. Zur Religionspolitik in Deutschland im Zeitalter der Glaubensspaltung, in: Schnur, R. (Hrsg.), Staatsräson. Studien zur Geschichte eines politischen Begriffs. Berlin 1975, 363-405.

92. SCHIEDER, W., Religionsgeschichte als Sozialgeschichte. Einleitende Bemerkungen zur Forschungsproblematik, in: GG 3 (1977) 291-298.

93. SCHILLING, H., Die Konfessionalisierung im Reich. Religiöser und gesellschaftlicher Wandel in Deutschland zwischen 1555 und 1620, in: HZ 246 (1988) 1-45.

94. SCHILLING, H., Wandlungs- und Differenzierungsprozesse innerhalb der bürgerlichen Oberschicht West- und Nordwestdeutschlands im 16. und 17. Jahrhundert, in: Biskup, M./Zernack, K. (Hrsg.), Schichtung und Entwicklung der Gesellschaft in Polen und Deutschland im 16. und 17. Jahrhundert. Parallelen, Verknüpfungen, Vergleiche. Wiesbaden 1983, 121-173.

95. SCHINDLING, A., Schulen und Universitäten im XVI. und XVII. Jahrhundert. Zehn Thesen zu Bildungsexpansion, Laienbildung und Konfessionalisierung nach der Reformation, in: Nr. 65, Bd. 2, 561-570.

96. SCHULZE, W., Gerhard Oestreichs Begriff „Sozialdisziplinierung in der Frühen Neuzeit", in: ZHF 14 (1987) 265-302.

97. SMOLINSKY, H., „Docendus est populus". Der Zusammenhang zwischen

Bildung und Kirchenreform in den Reformordnungen des 16. Jahrhunderts, in: Nr. 65, Bd. 2, 539-559.

98. WARMBRUNN, P., Zwei Konfessionen in einer Stadt. Das Zusammenleben von Katholiken und Protestanten in den paritätischen Reichsstädten Augsburg, Biberach, Ravensburg und Dinkelsbühl von 1548 bis 1648. Wiesbaden 1983.
99. ZEEDEN, E. W., Die Entstehung der Konfessionen. Grundlagen und Formen der Konfessionsbildung im Zeitalter der Glaubenskämpfe. München/Wien 1965.
100. ZEEDEN, E. W./LANG, P. T. (Hrsg.), Kirche und Visitation. Beiträge zur Erforschung des frühneuzeitlichen Visitationswesens in Europa. Stuttgart 1984.
101. ZEEDEN, E. W., Konfessionsbildung. Studien zur Reformation, Gegenreformation und katholischen Reform. Stuttgart 1985.

## 4. Protestantische Kirchentümer insgesamt

102. BAUER, W., Das deutsche evangelische Pfarrhaus. Seine Gründung, seine Entfaltung und sein Bestand. Halle a.S./Bremen 1902.
103. BLASCHKE, K., Wechselwirkungen zwischen der Reformation und dem Aufbau des Territorialstaates, in: Der Staat 9 (1970) 347-364.
104. DEMANDT, K. E., Geschichte des Landes Hessen. Kassel/Basel ²1980.
105. DÜLMEN, R. VAN, Reformation und Neuzeit. Ein Versuch, in: ZHF 14 (1987) 1-25.
106. GAWTHROP, R./STRAUSS, G., Protestantism and Literacy in Early Modern Europe, in: P & P 104 (1984) 31-55.
107. HECKEL, M., Staat und Kirche nach den Lehren der evangelischen Juristen in der ersten Hälfte des 17. Jahrhunderts. München 1968.
108. HEINEMEYER, W., Das Zeitalter der Reformation, in: Ders. (Hrsg.), Das Werden Hessens. Marburg 1986, 225-266.
109. HENDRIX, S., Luther's Impact on the 16th-Century, in: The Sixteenth-Century Journal 16 (1985) 3-14.
110. HEPPE, H., Kirchengeschichte beider Hessen, 2 Bde. Marburg 1876.
111. HSIA, R. P., Social Discipline in the Reformation: Central Europe 1550-1750. London/New York 1989.
112. KIRCHHOFF, H. G., Kirchspiels- und Küsterschulen in der Reformationszeit. Das niedere Schulwesen im Spiegel von Visitationsberichten des 16. Jahrhunderts, in: Nr. 158, 127-147.
113. KITTELSON, J. M., Learning and Education: Phase Two of the Reformation, in: Grane, L./Hörby, K. (Hrsg.), Die dänische Reformation vor ihrem internationalen Hintergrund. Göttingen 1990, 149-163.
114. KLAUS, B., Soziale Herkunft und theologische Ausbildung lutherischer Pfarrer der reformatorischen Frühzeit, in: ZKiG 80 (1969) 22-49.
115. KÖHLER, W., Zürcher Ehegericht und Genfer Konsistorium, 2 Bde. Leipzig 1932, 1942.
116. OZMENT, S., When Fathers Ruled. Family Life in Reformation Europe. Cambridge (Mass.)/London 1983.

117. Press, V., Soziale Folgen der Reformation in Deutschland, in: wie Nr. 94, 196-243.

118. Press, V., Hessen im Zeitalter der Landesteilung, in: wie Nr. 108, 267-331.

119. Schlung, F. H., Sozialgeschichte des Schulwesens in Hessen-Kassel. Kassel 1987.

120. Scribner, R. W., Paradigms of Urban Reform: Gemeindereform or Erastian Reformation?, in: wie Nr. 113, 111-128.

121. Sohm, W., Territorium und Reformation in der hessischen Geschichte 1526-1555. Marburg 1915.

122. Spitz, L. W., The Importance of the Reformation for Universities: Culture and Confession in the Critical Years, in: Kittelson, J.A./Transue, P.J. (Hrsg.), Rebirth, Reform, and Resilence. Universities in Transition, 1300-1700. Columbus/Ohio 1984, 42-67.

123. Strauss, G., Luther's House of Learning. Indoctrination of the Young in the German Reformation. Baltimore 1978.

124. Strauss, G., Success and Failure in the German Reformation, in: P & P 67 (1975) 30-63.

125. Vogler, B., Die Ausbildung des Konfessionsbewußtseins in den pfälzischen Territorien zwischen 1555 und 1619, in: Nr. 87, 281-288.

126. Vogler, B., Le clergé protestant rhénan au siècle de la Réforme 1555-1619. Paris 1976.

127. Vogler, B., Die Entstehung der protestantischen Volksfrömmigkeit in der rheinischen Pfalz zwischen 1555 und 1619, in: ARG 72 (1981) 158-195.

128. Vogler, B., La politique scolaire entre Rhin et Moselle: l'exemple du Duché de Deux-Ponts (1556-1619), in: Francia 3 (1975) 236-320, 4 (1976) 287-364.

129. Vogler, B., Vie religieuse en pays rhénan dans la seconde moitié du 16e siècle (1556-1619), 3 Teile, Thèse de lettres. Lille 1974.

130. Walder, E., Reformation und moderner Staat, in: Archiv des Historischen Vereins des Kantons Bern 64/65 (1980/81) 445-583.

131. Wolgast, E., Formen landesfürstlicher Reformation in Deutschland. Kursachsen – Württemberg / Brandenburg – Kurpfalz, in: wie Nr. 113, 57-90.

132. Wright, W. J., Capitalism, the State, and the Lutheran Reformation: Sixteenth-Century Hesse. Athens/Ohio 1987.

133. Wright, W. J., Evaluating the Results of 16th Century Educational Policy: Some Hessian Data, in: The Sixteenth Century Journal 18 (1987) 411-426.

134. Zeeden, E. W., Kleine Reformationsgeschichte von Baden-Durlach und Kurpfalz. Karlsruhe 1956.

135. Ziegler, W., Territorium und Reformation. Überlegungen und Fragen, in: HJb 110 (1990) 52-75.

136. Zimmermann, G., Die Einführung des landesherrlichen Kirchenregiments, in: ARG 76 (1985) 146-168.

# 5. Lutherische Kirchentümer

137. ABRAY, L. J., The People's Reformation. Magistrates, Clergy, and Commons in Strasbourg, 1500-1598. Oxford 1985.
138. BEINTKER, H. J. E., Fortsetzung und Festigung der Reformation. Neuordnung in evangelischen Kirchen unter Bugenhagens Anleitung mittels seiner Braunschweiger Kirchenordnungen von 1528, in: Theologische Zeitschrift 44 (1988) 1-31.
139. BLASCHKE, K., Religion und Politik in Kursachsen 1586-1591, in: Nr. 311, 79-97.
140. BLASCHKE, K., Sachsen im Zeitalter der Reformation. Gütersloh 1970.
141. BOFINGER, W., Kirche und werdender Territorialstaat. Eine Untersuchung zur Kirchenreformation Herzog Ulrichs von Württemberg, in: Blätter für Württembergische Kirchengeschichte 65 (1965) 75-149.
142. BOHLEY, R., Die Gründung der sächsischen Landesschulen und der Versuch, eine christliche Einigkeit zu erhalten, in: Herbergen der Christenheit 88 (1987/88) 77-106.
143. BRADY, T. A., Ruling Class, Regime and Reformation at Strasbourg 1520-1555. Leiden 1978.
144. BRECHT, M./SCHWARZ, R. (Hrsg.), Bekenntnis und Einheit der Kirche. Studien zum Konkordienbuch. Stuttgart 1980.
145. BRECHT, M., Herkunft und Ausbildung der protestantischen Geistlichen des Herzogtums Württemberg im 16. Jahrhundert, in: ZKiG 80 (1969) 163-175.
146. BRECHT, M., Kirchenordnung und Kirchenzucht in Württemberg vom 16. bis zum 18. Jahrhundert. Stuttgart 1967.
147. BURKHARDT, C. A. H., Geschichte der sächsischen Kirchen- und Schulvisitationen von 1524 bis 1545. Aalen $^{2}$1981 ⟨1. Auflage: 1879⟩.
148. CRAMER, M. A./SCHUCHMANN, H., Baden-württembergisches Pfarrerbuch, Teil 1: Kraichgau, Odenwald, Bd. 1: Die Gemeinde, ihre Pfarr- und Schulstellen von der Reformation bis zum Beginn des XIX. Jahrhunderts. Karlsruhe 1979.
149. CRAMER, M. A., Pfarrerbuch Württembergisch Franken, Bd. 1: Die Pfarreien. Stuttgart 1985.
150. DEBARD, J. M., Le luthéranisme au pays de Montbéliard, une Église d'État, difficultés et réalités du XVIe au XVIIIe siècle, in: Bulletin de la Société de l'histoire du protestantisme français 130 (1984) 345-382.
151. DEETJEN, W. U., Studien zur Württembergischen Kirchenordnung Herzog Ulrichs, 1534-1550. Das Herzogtum Württemberg im Zeitalter Herzog Ulrichs (1498-1550), die Neuordnung des Kirchengutes und der Klöster (1534-1547), zugleich Diss. theol. Tübingen. Stuttgart 1981.
152. ENDRISS, A., Phasen der Konfessionsbildung, aufgezeigt am Beispiel der Reichsstadt Wimpfen im Zeitraum von 1523 bis 1635, in: Nr. 87, 289-326.
153. ESTES, J. M., Christian Magistrate and State Church. Toronto/Buffalo/London 1982.
154. FRANZ, G., Die Kirchenleitung in Hohenlohe in den Jahrzehnten nach der Reformation. Visitation, Konsistorium, Kirchenzucht und die Festigung des landesherrlichen Kirchenregiments 1556-1586. Stuttgart 1971.

155. FRITZ, E., Diweil sie so arme Leuth. Fünf Albdörfer zwischen Religion und Politik 1530-1750. Studien zur Kirchengeschichte der Dörfer Bernloch, Eglingen, Meidelstetten, Oberstetten und Ödenwaldstetten. Stuttgart 1989.
156. GERECKE, R., Studien zu Urbanus Rhegius' kirchenregimentlicher Tätigkeit in Norddeutschland, Teil 2: Die Neuordnung des Kirchenwesens in Lüneburg, in: Jahrbuch der Gesellschaft für niedersächsische Kirchengeschichte 77 (1979) 25-96.
157. Geschichte des humanistischen Schulwesens in Württemberg, hrsg. v. d. Württembergischen Kommission für Landesgeschichte, 3 Bde in 5 Teilen. Stuttgart 1912-1928.
158. GOEBEL, K. (Hrsg.), Luther in der Schule. Bochum 1985.
159. GÖBELL, W./HOFFMANN, E./HAUSCHILD, W. D., Schleswig-Holsteinische Kirchengeschichte, Bd. 3. Neumünster 1982.
160. GREYERZ, K., The Late City Reformation in Germany: The Case of Colmar, 1522-1628. Wiesbaden 1980.
161. HAHN, J./MAYER, H., Das evangelische Stift in Tübingen. Stuttgart 1985.
162. HARTLEB, W., Das evangelisch-lutherische Schulwesen in der Reichsgrafschaft Ortenburg von der Einführung der Reformation im Jahr 1563 bis zur Übernahme der Grafschaft durch Bayern im Jahr 1805. Passau 1987.
163. HEROLD, V., Das Cöllnische Konsistorium im 16. Jahrhundert, in: Forschungen zur Brandenburgischen und Preußischen Geschichte 53 (1941) 1-42.
164. HERRMANN, R., Die Generalvisitationen in den Ernestinischen Landen zu Zeit der Lehrstreitigkeiten des 16. Jahrhunderts (1554/55, 1562, 1569/70, 1573), in: Zeitschrift für Thüringische Geschichte 30 = N.F. 22 (1914) 75-156.
165. HÖSS, I., The Lutheran Church of the Reformation: Problems of its Formation and Organization in the Middle and North German Territories, in: Buch, L.P./Zophy, J.W. (Hrsg.), The Social History of the Reformation. Columbus/Ohio 1972, 317-339.
166. HÖSS, I., Episcopus Evangelicus. Versuche mit dem Bischofsamt im deutschen Luthertum des 16. Jahrhunderts, in: Iserloh, E. (Hrsg.), Confessio Augustana und Confutatio. Der Augsburger Reichstag 1530 und die Einheit der Kirche. Münster 1980, 499-523.
167. JUNGHANS, H. (Hrsg.), Das Jahrhundert der Reformation in Sachsen. Berlin 1989.
168. KARANT-NUNN, S. C., Luther's Pastors. The Reformation in the Ernestine Countryside, in: Transactions of the American Philosophical Society N.S. 69, Teil 8. Philadelphia 1979.
169. KITTELSON, J. M., Successes and Failures in the German Reformation. The Report from Strasbourg, in: ARG 73 (1982) 153-174.
170. KITTELSON, J. M., Visitations and Popular Religious Culture: Further Reports from Strasbourg, in: Sessions, K.C./Bepp, Ph.N. (Hrsg.), Pietas and Societas. New Trends in Reformation Social History. Kirksville/Miss. 1985, 89-103.
171. KLEIN, T., Der Kampf um die Zweite Reformation in Kursachsen, 1586-1591, zugleich Diss. phil. Berlin 1960. Köln/Graz 1962.

172. KNEULE, W., Die Entwicklung der Beichte, der Konfirmation, der Kirchenzucht in der ehemaligen Markgrafschaft Brandenburg-Bayreuth-Kulmbach, in: Zeitschrift für bayerische Kirchengeschichte 37 (1968) 101-192.
173. KOCH, E., Der kursächsische Philippismus und seine Krise in den 1560er und 1570er Jahren, in: Nr. 311, 60-77.
174. KRUMWIEDE, H. W., Zur Entstehung des landesherrlichen Kirchenregimentes in Kursachsen und Braunschweig-Wolfenbüttel. Göttingen 1967.
175. LAU, F., Der Bauernkrieg und das angebliche Ende der lutherischen Reformation als spontaner Volksbewegung, in: Hubatsch, W. (Hrsg.), Wirkungen der deutschen Reformation bis 1555. Darmstadt 21967, 68-100 ⟨1. Auflage: Luther Jahrbuch 26 (1959) 109-134⟩.
176. LIVET, G./Rapp, F. u.a., Histoire de Strasbourg, Bd. 3. Straßburg 1981.
177. LUDWIG, F., Zur Entstehungsgeschichte der Lokalvisitationen, des „Synodus" und des Oberkonsistoriums in Kursachsen (Kirchenordnung von 1580), in: Beiträge zur sächsischen Kirchengeschichte 21 (1907) 1-72.
178. MAURER, W., Die Entstehung des Landeskirchentums in der Reformation, in: Ders., Die Kirche und ihr Recht, hrsg. v. Müller, G./Seebaß, G.. Tübingen 1976, 135-144.
179. MÜLLER, K., Die Anfänge der Konsistorialverfassung im lutherischen Deutschland, in: HZ 102 (1909) 1-30.
180. MÜLLER, S., Stadt, Kirche und Reformation. Das Beispiel der Landstadt Hannover. Hannover 1987.
181. PATZE, H./SCHLESINGER, W. (Hrsg.), Geschichte Thüringens, Bd. 3 und 4. Köln/Graz/Wien 1967, 1972.
182. ROBISHEAUX, T., Rural Society and the Search for Order in Early Modern Germany. Cambridge/New York u.a. 1989.
183. ROPER, L., The Holy Household. Women and Morals in Reformation Augsburg. Oxford 1989.
184. RUBLACK, H.-C. (Hrsg.), Konfessionalisierung im Luthertum. Wissenschaftliches Symposion des Vereins für Reformationsgeschichte, 7.- 10. September 1988 in Reinhausen. Gütersloh ⟨erscheint demnächst⟩.
185. RUDERSDORF, M., Lutherische Erneuerung und Zweite Reformation? Die Beispiele Württemberg und Hessen, in: Nr. 311, 130-153.
186. SABEAN, D. W., Das zweischneidige Schwert. Herrschaft und Widerspruch im Württemberg der frühen Neuzeit. Berlin 1986 ⟨zuerst englisch 1984 als „Power in the Blood"⟩.
187. SAFLEY, T. M., Let no Man put asunder. The Control of Marriage in the German Southwest. A comparative Study, 1550-1600. Kirksville/Miss. 1984.
188. SCHINDLING, A., Humanistische Hochschule und freie Reichsstadt. Gymnasium und Akademie in Straßburg 1538-1621. Wiesbaden 1977.
189. SCHMIDT, H., Kirchenregiment und Landesherrschaft im Selbstverständnis niedersächsischer Fürsten des 16. Jahrhunderts, in: Niedersächsisches Jahrbuch für Landesgeschichte 56 (1984) 31-58.
190. SCHNABEL-SCHÜLE, H., Distanz und Nähe. Zum Verhältnis von Pfarrer und Gemeinden im Herzogtum Württemberg vor und nach der Refor-

mation, in: Rottenburger Jahrbuch für Kirchengeschichte 5 (1986) 339-348.
191. Schnabel-Schüle, H., Calvinistische Kirchenzucht in Württemberg? Zur Theorie und Praxis der württembergischen Kirchenkonvente, in: ZWLG 49 (1990) 169-223.
192. Schorn-Schütte, L., Lutherische Konfessionalisierung? Das Beispiel Braunschweig-Wolfenbüttel (1589-1613), in: Nr. 184.
193. Schorn-Schütte, L., „Papacaesarismus" der Theologen? Vom Amt des evangelischen Pfarrers in der frühneuzeitlichen Stadtgesellschaft bei Bugenhagen, in: ARG 79 (1988) 230-261.
194. Schröder, T. M., Das Kirchenregiment der Reichsstadt Esslingen. Grundlagen – Geschichte – Organisation. Sigmaringen 1987.
195. Scribner, R. W., Police and the Territorial State in Sixteenth-Century Württemberg, in: Kouri, E.I./Scott, T. (Hrsg.), Politics and Society in Reformation Europe. Fs. Geoffrey Elton. London 1987, 103-120.
196. Sommer, W., Gottesfurcht und Fürstenherrschaft. Studien zum Obrigkeitsverständnis Johann Arndts und lutherischer Hofprediger zur Zeit der altprotestantischen Orthodoxie. Göttingen 1988.
197. Tolley, B. W. A., Pastors and Parishioners in Württemberg during the Late Reformation (1581-1621): A Study of Religious Life in the Parishes of Districts Tübingen and Tuttlingen, Diss. phil. Standford University. Stanford 1984.
198. Veit, P., Das Gesangbuch als Quelle lutherischer Frömmigkeit, in: ARG 79 (1988) 206-229.
199. Wartenberg, G., Landesherrschaft und Reformation. Moritz von Sachsen und die albertinische Kirchenpolitik bis 1546. Gütersloh 1988.
200. Wartenberg, G., Visitationen des Schulwesens im albertinischen Sachsen zwischen 1540 und 1580, in: Nr. 158, 55-78.
201. Weyrauch, E., Konfessionelle Krise und soziale Stabilität. Das Interim in Straßburg (1548-1562). Stuttgart 1978.

## 6. Katholische Kirchentümer

202. Ammerich, H., Formen und Wege der katholischen Reform in den Diözesen Speyer und Straßburg. Klerusreform und Seelsorgereform, in: Press, V./Reinhard, E./Schwarzmaier, H. (Hrsg.), Barock am Oberrhein. Karlsruhe 1985, 291-327.
203. Bäumer, R. (Hrsg.), Concilium Tridentinum. Darmstadt 1979.
204. Bangert, W. V., A History of the Society of Jesus. St. Louis ²1986.
205. Barthel, M., Die Jesuiten. Düsseldorf 1982.
206. Bartmann, H., Die Kirchenpolitik der Markgrafen von Baden-Baden im Zeitalter de Glaubenskämpfe (1535-1622), in: Freiburger Diözesan-Archiv 81 = Folge 3, 13 (1961) 3-352.
207. Bauerreiss, R., Kirchengeschichte Bayerns, Bd. 6: Das 16. Jahrhundert. St. Ottilien 1965.
208. Becker, T. P., Konfessionalisierung in Kurköln. Untersuchungen zur Durchsetzung der katholischen Reform in den Dekanaten Ahrgau und

Bonn anhand von Visitationsprotokollen 1583-1761, zugleich Diss. Freiburg i.Br. 1988. Bonn 1989.

209. BERNHARD, J./LEFEBVRE, C./RAPP, F., L'époque de la Réforme et du Concile de Trente. Paris 1989.

210. BORROMEO, A., Tridentine Discipline: The Church of Rome. Between Catholic Reform and Counter-Reformation, in: wie Nr. 113, 241-263.

211. BOSSY, J. A., The Counter-Reformation and the People of Catholic Europe, in: P & P 47 (1970) 51-70.

211a. BREIT, S., „Leichtfertigkeit" und ländliche Gesellschaft. Voreheliche Sexualität in der frühen Neuzeit. München 1991

212. BÜCKING, J., Frühabsolutismus und Kirchenreform in Tirol (1565-1665). Ein Beitrag zum Ringen zwischen „Staat" und „Kirche" in der frühen Neuzeit. Wiesbaden 1972.

213. BÜCKING, J., Das Tridentinum und Tirol, in: Nr. 285, 204-221.

214. BUXBAUM, E. M., Petrus Canisius und die kirchliche Erneuerung des Herzogtums Bayern 1549-1556. Rom 1973.

215. CHÂTELIER, L., De la Contre-Réforme aux Lumières, in: Rapp, F. (Hrsg.), Le diocèse de Strasbourg. Paris 1982, 89-167.

216. COENEN, D., Die katholische Kirche am Niederrhein von der Reformation bis zum Beginn des 18. Jahrhunderts. Münster 1967.

217. DECOT, R., Religionsfrieden und Kirchenreform. Der Mainzer Kurfürst und Erzbischof Sebastian von Heusenstamm, 1545-1555. Wiesbaden 1980.

218. DÖLLE, A., Erzbischof Daniel Brendel von Homburg und die Gegenreformation auf dem Eichsfeld, in: Universitas. Fs. Bischof Albert Stohr, Bd. 2. Mainz 1960, 110-125.

219. DOPSCH, H./SPATZENEGGER, H. (Hrsg.), Geschichte Salzburgs. Stadt und Land, Bd. II, 2 Teile: Neuzeit und Zeitgeschichte. Salzburg 1988.

220. DUHR, B., Geschichte der Jesuiten in den Ländern deutscher Zunge im 16. Jahrhundert, 4 Bände in 6 Teilen. New York [2]1973 ⟨1. Auflage: 1907-1928⟩.

221. EBERS, G. J., Die Archidiakonalstreitigkeiten in Münster im 16. und 17. Jahrhundert, in: ZRG KA 3 (1913) 364-412.

222. ENDERLE, W., Konfessionsbildung und Ratsregiment in der katholischen Reichsstadt Überlingen (1500-1618) im Kontext der Reformationsgeschichte der oberschwäbischen Reichsstädte. Stuttgart 1990.

223. FLASKAMP, F., Die große Osnabrücker Kirchenvisitation an der oberen Ems. Ein Beitrag zur Geschichte der Gegenreformation, in: Jahrbuch der Gesellschaft für niedersächsische Kirchengeschichte 70 (1972) 51-105, 71 (1973) 155-196.

224. FÖLLINGER, G., Zur Priesterausbildung in den Bistümern Köln, Paderborn und Konstanz nach dem Tridentinum, in: Nr. 65, 367-397.

225. FORSTER, R., Die Katholische Reform in den Dörfern des Hochstifts Speyer, in: ZGO 138 = N.F. 99 (1990) 259-281.

226. FRANZEN, A., Die Kölner Archidiakonate in vor- und nachtridentinischer Zeit. Münster 1953.

227. FRANZEN, A., Die Herausbildung des Konfessionsbewußtseins am Niederrhein im XVI. Jahrhundert, in: Annalen des Historischen Vereins für den Niederrhein 158 (1956) 164-209.

228. GELMI, J., Kirchengeschichte Tirols. Innsbruck 1986.

229. Grebner, C., Kaspar Gropper (1514 bis 1594) und Nikolaus Elgard (ca. 1538 bis 1587). Biographie und Reformtätigkeit. Ein Beitrag zur Kirchenreform in Franken und im Rheinland in den Jahren 1573 bis 1576. Münster 1982.
230. Hahn, A., Die Rezeption des tridentinischen Pfarrerideals im westtrierischen Pfarrklerus des 16. und 17. Jahrhunderts. Untersuchungen zur Geschichte der katholischen Reform im Erzbistum Trier. Luxemburg 1974.
231. Hausberger, K., Geschichte des Bistums Regensburg, Bd. 1: Mittelalter und frühe Neuzeit. Regensburg 1989.
232. Hegel, E., Organisationsformen der diözesanen Priesterausbildung in Deutschland. Grundlinien ihrer geschichtlichen Entwicklung, in: Ecclesiastica Rhenana. Aufsätze zur rheinischen Kirchengeschichte, hrsg. v. Corsten, S./Knopp, G.. Bonn 1986, 277-298.
233. Hengst, K., Jesuiten an Universitäten und Jesuitenuniversitäten. Zur Geschichte der Universitäten in der Oberdeutschen und Rheinischen Provinz der Gesellschaft Jesu im Zeitalter der konfessionellen Auseinandersetzung, zugleich Diss. Bochum 1979. München 1981.
234. Hengst, K., Konfession und Konfessionsbewußtsein im Klerus des 16. Jahrhunderts. Ein Beitrag zum Problem der Konfessionsbildung, in: Nr. 65, Bd. 2, 587-605.
235. Hengst, K., Kirchliche Reformen im Fürstbistum Paderborn unter Dietrich von Fürstenberg (1585-1642). Ein Beitrag zur Geschichte der Gegenreformation und der katholischen Reform in Westfalen, zugleich Diss. Academia Theodoriana Paderborn 1973. München/Paderborn/Wien 1974.
236. Hsia, R. P., Society and Religion in Münster, 1535-1618. New Haven 1984.
237. Jäger, B., Das geistliche Fürstentum Fulda in der frühen Neuzeit. Landesherrschaft, Landstände und fürstliche Verwaltung. Ein Beitrag zur Verfassungs- und Verwaltungsgeschichte kleiner Territorien des Alten Reiches. Marburg 1986.
238. Jedin, H., Geschichte des Konzils von Trient, 4 Bde. Freiburg i.Br. [3]1978 ⟨1. Auflage: 1949-1970⟩.
239. Jedin, H., Katholische Reformation oder Gegenreformation? Ein Versuch zur Klärung der Begriffe nebst einer Jubiläumsbetrachtung über das Trienter Konzil. Luzern 1946.
240. Jürgensmeier, F., Das Bistum Mainz. Von der Römerzeit bis zum II. Vatikanischen Konzil. Frankfurt a.M. 1988.
241. Klöcker, M., Ursachen des katholischen Bildungsdefizits in Deutschland seit Luthers Auftreten. Umrisse einer wirkungsgeschichtlichen Analyse, in: Nr. 158, 173-211.
242. Krammer, O., Bildungswesen und Gegenreformation. Die Hohen Schulen der Jesuiten im katholischen Teil Deutschlands vom 16. bis 18. Jahrhundert. Würzburg 1988.
243. Krasenbrink, J., Die Congregatio Germanica und die katholische Reform in Deutschland nach dem Tridentinum, zugleich Diss. theol. Bonn 1973. Münster 1972.
244. Kuhn, E./Moser, E./Reinhardt, R./Sachs, P. (Hrsg.), Die Bischöfe von Konstanz, Bd. 1: Geschichte. Friedrichshafen 1988.

245. KURRUS, T., Die Jesuiten in Freiburg und in den Vorlanden, in: Nr. 80, 189-198.
246. LANG, P. T., Die tridentinische Reform im Landkapitel Mergentheim bis zum Einfall der Schweden 1631, in: Rottenburger Jahrbuch für Kirchengeschichte 1 (1982) 143-171.
247. LANG, P. T., Reform im Wandel. Die katholischen Visitationsinterrogatorien des 16. und 17. Jahrhunderts, in: Nr. 100, 131-189.
248. MAIER, K., Bischof und Domkapitel im Licht der Wahlkapitulationen in der Neuzeit, in: Römische Quartalschrift für christliche Altertumskunde und Kirchengeschichte 83 (1988) 236-251.
249. MAY, G., Die deutschen Bischöfe angesichts der Glaubensspaltung des 16. Jahrhunderts. Wien 1983.
250. MECENSEFFY, G., Geschichte des Protestantismus in Österreich. Graz/Köln 1956.
251. MEIER, J., Die katholische Erneuerung des Würzburger Landkapitels Karlstadt von 1579 bis 1624, in: Würzburger Diözesangeschichtsblätter 33 (1971) 51-125.
252. MERZBACHER, F. (Hrsg.), Julius Echter von Mespelbrunn und seine Zeit. Würzburg 1973.
253. METZLER-ANDELBERG, H. J., Erneuerung des Katholizismus und Gegenreformation in Innerösterreich, in: Südostdeutsches Archiv 13 (1970) 97-118.
254. MOLITOR, H., Die untridentinische Reform. Anfänge katholischer Erneuerung in der Reichskirche, in: Nr. 65, Bd. 1, 399-431.
255. MOLITOR, H., Kirchliche Reformversuche der Kurfürsten und Erzbischöfe von Trier im Zeitalter der Gegenreformation, zugleich Diss. phil. Tübingen 1967. Wiesbaden 1967.
256. ORTNER, F., Reformation, katholische Reform und Gegenreformation im Erzstift Salzburg. Salzburg 1981.
257. PÖLNITZ, G. F., Julius Echter von Mespelbrunn, Fürstbischof von Würzburg und Herzog von Franken (1573-1617). München 1934.
258. PRESS, V., Das Hochstift Speyer im Reich des späten Mittelalters und der frühen Neuzeit. Portrait eines geistlichen Staates, in: wie Nr. 202, 251-290.
259. REINGRABNER, G., Adel und Reformation. Beiträge zur Geschichte des protestantischen Adels im Lande unter der Enns während des 16. und 17. Jahrhunderts. Wien 1976.
260. REINGRABNER, G., Protestanten in Österreich. Wien 1981.
261. REINHARD, W., Reformation, Counter-Reformation, and the Early Modern State. A Reassessment, in: The Catholic Historical Review 75 (1989) 383-404.
262. REINHARDT, R., Die Beziehungen von Hochstift und Diözese Konstanz zu Habsburg-Österreich in der Neuzeit. Gleichzeitig ein Beitrag zur archivalischen Erforschung des Problems „Kirche und Staat". Wiesbaden 1966.
263. REPGEN, K., Der Bischof zwischen Reformation, katholischer Reform und Konfessionsbildung (1515-1650), in: Berglar, P./Engels, O. (Hrsg.), Der Bischof in seiner Zeit. Bischofstypus und Bischofsideal im Spiegel der Kölner Kirche. Fs. Joseph Kardinal Höffner. Köln 1986, 245-314.

264. Reuschling, H. N., Die Regierung des Hochstifts Würzburg 1495-1642. Zentralbehörden und führende Gruppen eines geistlichen Staates. Würzburg 1984.

265. Schellhass, K., Die Gegenreformation im Bistum Konstanz im Pontifikat Gregors XIII. (1572-1585). Karlsruhe 1925.

266. Schindling, A., Die katholische Bildungsreform zwischen Humanismus und Barock. Dillingen, Dole, Freiburg, Molsheim und Salzburg: Die Vorlande und die benachbarten Universitäten, in: Nr. 80, 137-176.

267. Schindling, A., Reichskirche und Reformation. Zu Glaubensspaltung und Konfessionalisierung in den geistlichen Fürstentümern des Reiches, in: Kunisch, J. (Hrsg.), Neue Studien zur frühneuzeitlichen Reichsgeschichte. Berlin 1987, 81-112.

268. Schmidt, P., Das Collegium Germanicum in Rom und die Germaniker. Zur Funktion eines römischen Ausländerseminars 1552-1914. Tübingen 1984.

269. Schönfeller, F., Krems zwischen Reformation und Gegenreformation. Wien 1985.

270. Scholz, G., Zur Religions- und Kirchenpolitik des steiermärkischen Adels in der frühen Reformationszeit – Streiflichter anhand des Protokolls der landesfürstlichen Visitation von 1528, in: Nr. 87, 202-214.

271. Schreiber, G., Tridentinische Reformdekrete in deutschen Bistümern, in: Nr. 203, 462-521.

272. Schreiber, G. (Hrsg.), Das Weltkonzil von Trient, 2 Bde. Freiburg i.Br. 1951.

273. Schröer, A., Die Kirche in Westfalen im Zeichen der Erneuerung (1555-1648), 2 Bde. Münster 1986, 1987.

274. Schubert, E., Gegenreformation in Franken, in: Nr. 285, 222-269.

275. Schubert, E., Zur Typologie gegenreformatorischer Universitätsgründungen: Jesuiten in Fulda, Würzburg, Ingolstadt und Dillingen, in: Rössler, H./Franz, G. (Hrsg.), Universität und Gelehrtenstand 1400-1800. Limburg 1970, 85-105.

276. Schwaiger, G., Das Bistum Freising in der Neuzeit. München 1989.

277. Schwaiger, G., Die Religionspolitik der bayerischen Herzöge im XVI. Jahrhundert, in: Iserloh, E. (Hrsg.), Johannes Eck (1486-1543) im Streit der Jahrhunderte. Münster 1988, 250-274.

278. Specker, H. E., Die Reformtätigkeit der Würzburger Fürstbischöfe Friedrich von Wirsberg (1558-1573) und Julius Echter von Mespelbrunn (1573-1617), in: Würzburger Diözesangeschichtsblätter 27 (1965) 29-125.

279. Specker, H. E., Nachtridentinische Visitationen im Bistum Würzburg als Quelle für die katholische Reform, in: Nr. 28, 37-48.

280. Spindler, M. (Hrsg.), Handbuch der bayerischen Geschichte, Bd. 2 und 3, 1-2. München $^{2}$1977/79 ⟨1. Auflage: 1966⟩.

281. Steigelmann, H. (Bearb.), Der geistliche Rat zu Baden-Baden und seine Protokolle von 1577 bis 1584. Stuttgart 1962.

282. Thoma, W., Die Kirchenpolitik der Grafen von Fürstenberg im Zeitalter der Glaubenskämpfe (1520-1660). Ein Beitrag zur Geschichte der Kirchenreform und der Konfessionsbildung, zugleich Diss. phil. Freiburg i.Br. 1960. Münster 1963.

283. Tüchle, H., Das Seminardekret des Trienter Konzils in seiner geschichtlichen Verwirklichung, in: Tübinger Theologische Quartalschrift 144 (1964) 12-30.
284. Winkler, G. B., Die nachtridentinischen Synoden im Reich. Salzburger Provinzialkonzilien 1569, 1573, 1576. Köln 1988.
285. Zeeden, E. W. (Hrsg.), Gegenreformation. Darmstadt 1973.

## 7. Deutschreformierte Kirchentümer

286. Benrath, G. A., Die Eigenart der pfälzischen Reformation und die Vorgeschichte des Heidelberger Katechismus, in: Heidelberger Jahrbücher 7 (1963) 13-32.
287. Brämik, R., Die Verfassung der lutherischen Kirche in Jülich-Berg, Cleve-Mark-Ravensberg in ihrer geschichtlichen Entwicklung. Düsseldorf 1964.
288. Cohn, H. J., The Territorial Princes in Germany's Second Reformation, 1559-1622, in: Prestwich, M. (Hrsg.), International Calvinism 1541-1715. Oxford 1985, 139-165.
289. Friedrich, O., Die rechtliche Gestalt der kurpfälzischen Kirche nach der Kirchenratsordnung von 1564 und dem Reskript von 1570, in: Ruperto-Carola 35 (1964) 145-150.
290. Goeters, J. F. G., Genesis, Formen und Hauptthemen des reformierten Bekenntnisses in Deutschland. Eine Übersicht, in: Nr. 311, 44-59.
291. Götz, J. B., Die Einführung des Kalvinismus in der Oberpfalz, 1559-1576. Münster 1933.
292. Götz, J. B., Die religiösen Wirren in der Oberpfalz von 1576 bis 1620. Münster 1937.
293. Hanle, G., Graf Wolfgang Ernst von Ysenburg und die Einführung des Calvinismus in der Grafschaft Büdingen. Ursachen, Art und Auswirkungen. Diss. phil. Mainz 1966.
294. Heckel, M., Reichsrecht und „Zweite Reformation". Theologisch-juristische Probleme der reformierten Konfessionalisierung, in: Nr. 311, 11-43.
295. Henss, W., Zwischen Orthodoxie und Irenik. Zur Eigenart der Reformation in der rheinischen Kurpfalz unter den Kurfürsten Ottheinrich und Friedrich III., in: ZGO 132 (1984) 153-212.
296. Klueting, H., Die reformierte Konfessions- und Kirchenbildung in den westfälischen Grafschaften des 16. und 17. Jahrhunderts, in: Nr. 311, 214-232.
297. Klueting, H., Gab es eine „Zweite Reformation"? Ein Beitrag zur Terminologie des Konfessionellen Zeitalters, in: GWU 38 (1987) 261-279.
298. Koch, W., Die Entwicklung des Presbyteramtes und der Kirchenzucht im Herzogtum Pfalz-Zweibrücken von der Reformation bis zum 19. Jahrhundert, in: Blätter für Pfälzische Kirchengeschichte und religiöse Volkskunde 30 (1963) 40-66.
299. Koch, W., Der Übergang von Pfalz-Zweibrücken vom Luthertum zum Calvinismus. 50 Jahre Pfalz-Zweibrücker Kirchengeschichte (1560-

1610), in: Blätter für Pfälzische Kirchengeschichte und religiöse Volkskunde 27 (1960) 23-35.

300. Menk, G., Die Hohe Schule Herborn in ihrer Frühzeit (1584-1660). Ein Beitrag zum Hochschulwesen des deutschen Kalvinismus im Zeitalter der Gegenreformation. Wiesbaden 1981.

301. Menk, G., Territorialstaat und Schulwesen in der frühen Neuzeit. Eine Untersuchung zur religiösen Dynamik in den Grafschaften Nassau und Sayn, in: JbWLG 9 (1983) 177-220.

302. Menk, G., Die „Zweite Reformation“ in Hessen-Kassel. Landgraf Moritz und die Einführung der Verbesserungspunkte, in: Nr. 311, 154-183.

303. Münch, P., Kirchenzucht und Nachbarschaft. Zur sozialen Problematik des calvinistischen Seniorats um 1600, in: Nr. 100, 216-248.

304. Münch, P., Volkskultur und Calvinismus. Zu Theorie und Praxis der „reformatio vitae“ während der „Zweiten Reformation“, in: Nr. 311, 291-307.

305. Münch, P., Zucht und Ordnung. Reformierte Kirchenverfassungen im 16. und 17. Jahrhundert (Nassau-Dillenburg, Kurpfalz, Hessen-Kassel), zugleich Diss. hist. Tübingen. Stuttgart 1978.

306. Neuser, W. H., Die Einführung der presbyterial-synodalen Kirchenordnung in den Grafschaften Nassau-Dillenburg, Wittgenstein, Solms und Wied im Jahre 1586, in: Jahrbuch des Vereins für westfälische Kirchengeschichte 71 (1978) 47-58.

307. Neuser, W. H., Die Erforschung der „Zweiten Reformation“ – eine wissenschaftliche Fehlentwicklung, in: Nr. 311, 379-386.

308. Press, V., Calvinismus und Territorialstaat. Regierung und Zentralbehörden der Kurpfalz 1559-1619. Stuttgart 1970.

309. Press, V., Die „Zweite Reformation“ in der Kurpfalz, in: Nr. 311, 104-129.

310. Schilling, H., Reformierte Kirchenzucht als Sozialdisziplinierung? Die Tätigkeit des Emder Presbyteriums in den Jahren 1557-1562, in: Ders./ Ehbrecht, W. (Hrsg.), Niederlande und Nordwestdeutschland. Studien zur Regional- und Stadtgeschichte Nordwestkontinentaleuropas im Mittelalter und in der Neuzeit. Köln 1983, 261-327.

311. Schilling, H. (Hrsg.), Die reformierte Konfessionalisierung in Deutschland. Das Problem der „Zweiten Reformation“. Wissenschaftliches Symposion des Vereins für Reformationsgeschichte 1985. Gütersloh 1986.

312. Schilling, H., Konfessionskonflikt und Staatsbildung. Eine Fallstudie über das Verhältnis von religiösem und sozialem Wandel in der Frühneuzeit am Beispiel der Grafschaft Lippe. Gütersloh 1981.

313. Schilling, H., Sündenzucht und frühneuzeitliche Sozialdisziplinierung. Die calvinistische, presbyteriale Kirchenzucht in Emden vom 16. bis 19. Jahrhundert, in: Schmidt, G. (Hrsg.), Stände und Gesellschaft im Alten Reich. Stuttgart 1989, 265-302.

314. Schilling, H., Die „Zweite Reformation“ als Kategorie der Geschichtswissenschaft, in: Nr. 311, 387-437.

315. Schmidt, G., Die „Zweite Reformation“ im Gebiet des Wetterauer Grafenvereins. Die Einführung des reformierten Bekenntnisses im Spiegel der Modernisierung gräflicher Herrschaftssysteme, in: Nr. 311, 184-213.

316. SCHORMANN, G., Zweite Reformation und Bildungswesen am Beispiel der Elementarschulen, in: Nr. 311, 308-316.
317. STAMER, L., Kirchengeschichte der Pfalz, Bd. 2 (1122-1560), Bd. 3 (1556-1685). Speyer 1949, 1955.
318. VOGLER, B./ESTÈBE, J., La genèse d'une société protestante: Étude comparée de quelques registres consistoriaux Languedociens et Palatins vers 1600, in: Annales 31 (1976) 362-406.
319. WESEL-ROTH, R., Thomas Erastus. Ein Beitrag zur Geschichte der reformierten Kirche und zur Lehre von der Staatssouveränität, zuvor Diss. phil. masch. Freiburg i.Br. 1942. Lahr/Baden 1954.
320. WOLF, K., Zur Einführung des reformierten Bekenntnisses in Nassau-Dillenburg, in: NassAnn 66 (1955) 160-193.
321. ZSCHÄBITZ, G., Zur Problematik der sogenannten „Zweiten Reformation", in: Wissenschaftliche Zeitschrift der Karl-Marx-Universität. Gesellschafts- und sprachwissenschaftliche Reihe 14 (1965) 505-509.

# Register

Begriffe wie „Konfessionalisierung", „Luthertum" etc. werden nicht eigens ausgewiesen. Die Versuche der Kirchen und Staaten, konfessionelles Christentum durchzusetzen, werden als „Christianisierung, konfessionelle" apostrophiert. Auf eine Differenzierung bei Begriffen wie „Visitation" wurde aus prinzipiellen Überlegungen verzichtet. Namensgleiche Städte und Hochstifte/Fürstentümer werden nicht getrennt geführt, wenn sie *ein* Territorium bilden, sonst (z.B. Köln, Straßburg, Konstanz, Augsburg etc. – auch Magdeburg) werden sie separat aufgelistet. Die Präzisierung „Bistum" steht für Bistum und Hochstift. Schleswig und Holstein wurden zu „Schleswig-Holstein" zusamengefaßt. Autorennamen sind durch KAPITÄLCHEN kenntlich gemacht. Fürsten mit Ausnahme von Königen stehen unter ihrem Territorium.

# Enzyklopädie deutscher Geschichte
# Themen und Autoren

## Mittelalter

| | |
|---|---|
| Demographie des Mittelalters / Neithard Bulst<br>Agrarwirtschaft, Agrarverfassung und ländliche Gesellschaft im Mittelalter / Werner Rösener<br>Adel, Rittertum und Ministerialität im Mittelalter / Thomas Zotz<br>Die Stadt im Mittelalter / Franz Irsigler<br>Armut im Mittelalter / Otto Gerhard Oexle<br>Geschichte des Judentums im Mittelalter / Michael Toch | Gesellschaft |
| Wirtschaftlicher Wandel und Wirtschaftspolitik im Mittelalter / Ulf Dirlmeier | Wirtschaft |
| Die geistige Kultur bis zur Gründung der Universitäten in Deutschland / Johannes Fried<br>Die geistige Kultur im Mittelalter / N.N.<br>Die ritterlich-höfische Kultur des Mittelalters / Werner Paravicini<br>Die materielle Kultur des Mittelalters / Hartmut Boockmann | Kultur, Alltag, Mentalitäten |
| Die mittelalterliche Kirche / Michael Borgolte<br>Religiöse Bewegungen im Mittelalter / Matthias Werner<br>Formen der Frömmigkeit im Mittelalter / Arnold Angenendt | Religion und Kirche |
| Die Germanen / Hans Hubert Anton<br>Die Slawen in der deutschen Geschichte des Mittelalters / N.N.<br>Das römische Erbe und das Merowingerreich / Reinhold Kaiser<br>Das Karolingerreich / Peter Johanek<br>Die Entstehung des deutschen Reiches / Joachim Ehlers<br>Königtum und Königsherrschaft im 10. und 11. Jahrhundert / Egon Boshof<br>Der Investiturstreit / Wilfried Hartmann<br>König und Fürsten, Kaiser und Papst nach dem Wormser Konkordat / Bernhard Schimmelpfennig<br>Deutschland und seine Nachbarn 1200–1500 / Dieter Berg<br>Die kirchliche Krise des Spätmittelalters / Heribert Müller<br>König, Reich und Reichsreform im Spätmittelalter / Karl-Friedrich Krieger<br>Landesherrschaft, Territorien und Frühformen des modernen Staates / Ernst Schubert | Politik, Staat, Verfassung |

## Frühe Neuzeit

| | |
|---|---|
| Demographie 1500–1800 / Christian Pfister<br>Bauern zwischen Bauernkrieg und Dreißigjährigem Krieg / Peter Bierbrauer<br>Bauern vom Dreißigjährigen Krieg bis zur Bauernbefreiung / Werner Troßbach<br>Adel in der frühen Neuzeit / Rudolf Endres | Gesellschaft |

Der frühneuzeitliche Hof / Rainer A. Müller
Die Stadt in der frühen Neuzeit / Heinz Schilling
Unterständische Schichten in der frühen Neuzeit / Wolfgang von Hippel
Unruhen in der ständischen Gesellschaft 1300–1800 / Peter Blickle
Von der ständischen zur bürgerlichen Gesellschaft / Lothar Gall
Geschichte des Judentums vom 16. bis zum Ende des 18. Jahrhunderts / Stefi Jersch-Wenzel

Wirtschaft
Die deutsche Wirtschaft im 16. Jahrhundert / Franz Mathis
Die Entwicklung der Wirtschaft im Zeitalter des Merkantilismus 1620–1800 / Rainer Gömmel
Landwirtschaft in der frühen Neuzeit / Walter Achilles
Gewerbe in der frühen Neuzeit / Wilfried Reininghaus
Handel und Verkehr, Banken und Versicherungen in der frühen Neuzeit / N.N.

Kultur, Alltag, Mentalitäten
Medien in der frühen Neuzeit / Erdmann Weyrauch
Bildung und Wissenschaft in der frühen Neuzeit 1650–1800 / Anton Schindling
Die Aufklärung / Wolfgang Hardtwig
Lebenswelt und Kultur des Bürgertums in der frühen Neuzeit / Bernd Roeck
Lebenswelt und Kultur der unterbürgerlichen Schichten in der frühen Neuzeit / Günther Lottes

Religion und Kirche
Die Reformation. Voraussetzungen und Durchsetzung / Bob Scribner
Konfessionalisierung im 16. Jahrhundert / Heinrich Richard Schmidt
Kirche, Staat und Gesellschaft im 17. und 18. Jahrhundert / Hartmut Lehmann
Religiöse Bewegungen in der frühen Neuzeit / Hans-Jürgen Goertz

Politik, Staat, Verfassung
Das Reich in der frühen Neuzeit / Helmut Neuhaus
Landesherrschaft, Territorien und Staat in der frühen Neuzeit / Winfried Schulze
Die Entwicklung der landständischen Verfassung / Franz Quarthal
Vom aufgeklärten Reformstaat zum bürokratischen Staatsabsolutismus / Walter Demel

Staatensystem, internationale Beziehungen
Das Reich im Kampf um die Hegemonie in Europa 1521–1648 / Alfred Kohler
Altes Reich und europäische Staatenwelt 1648–1806 / Heinz Duchhardt

## 19. und 20. Jahrhundert

Gesellschaft
Demographie des 19. und 20. Jahrhunderts / A. Gräfin zu Castell Rüdenhausen
Geschichte der Familie im 19. und 20. Jahrhundert / N.N.
Urbanisierung im 19. und 20. Jahrhundert / Klaus Tenfelde
Soziale Schichtung, soziale Mobilität und sozialer Protest im 19. und 20. Jahrhundert / Josef Mooser
Geschichte des deutschen Adels im 19. und 20. Jahrhundert / H. Reif
Das Bürgertum im 19. und 20. Jahrhundert / Dieter Hein
Die Angestellten im 19. und 20. Jahrhundert / Günther Schulz
Die Arbeiterschaft im 19. und 20. Jahrhundert / N.N.

Juden und jüdische Gemeinschaften in Deutschland 1780–1918 / Shulamit Volkov
Geschichte des deutschen Judentums 1914–1945 / Mosche Zimmermann

**Wirtschaft**

Vorgeschichte, Verlauf und Charakter der deutschen industriellen Revolution / Hans-Werner Hahn
Die Entwicklung der Wirtschaft im 20. Jahrhundert / Wilfried Feldenkirchen
Agrarwirtschaft und ländliche Gesellschaft in Deutschland im 19. Jahrhundert / Hartmut Harnisch
Landwirtschaft im 19. und 20. Jahrhundert / N.N.
Gewerbe und Industrie im 19. und 20. Jahrhundert / (Toni Pierenkemper)
Handel und Verkehr im 19. Jahrhundert / Karl Heinrich Kaufhold
Handel und Verkehr im 20. Jahrhundert / Horst A. Wessel
Banken und Versicherungen im 19. Jahrhundert / Eckhard Wandel
Banken und Versicherungen im 20. Jahrhundert / Eckhard Wandel
Staat und Wirtschaft im 19. Jahrhundert (bis 1914) / Heinrich Best
Staat und Wirtschaft im 20. Jahrhundert / Gerold Ambrosius

**Kultur, Alltag, Mentalitäten**

Kultur, Bildung und Wissenschaft im 19. Jahrhundert / Rüdiger vom Bruch
Kultur, Bildung und Wissenschaft im 20. Jahrhundert / Horst Möller
Lebenswelt und Kultur des Bürgertums im 19. und 20. Jahrhundert / Dieter Langewiesche
Lebenswelt und Kultur der unterbürgerlichen Schichten im 19. und 20. Jahrhundert / Wolfgang Kaschuba

**Religion und Kirche**

Formen der Frömmigkeit in einer säkularisierten Gesellschaft / Werner K. Blessing
Kirche, Politik und Gesellschaft im 19. und 20. Jahrhundert / Gerhard Besier

**Politik, Staat, Verfassung**

Der Deutsche Bund und das politische System der Restauration 1815–1866 / Wolfram Siemann
Das Vordringen des Konstitutionalismus und das Ringen um den deutschen Nationalstaat / Elisabeth Fehrenbach
Die innere Entwicklung des Kaiserreichs / Hans-Peter Ullmann
Die innere Entwicklung der Weimarer Republik / Peter Steinbach
Das nationalsozialistische Herrschaftssystem / U. v. Hehl
Die Bundesrepublik. Verfassung, Parlament und Parteien / Adolf M. Birke
Die Innenpolitik der Deutschen Demokratischen Republik / Günther Heydemann

**Staatensystem, internationale Beziehungen**

Die deutsche Frage und das europäische Staatensystem 1815–1871 / Anselm Doering-Manteuffel
Deutsche Außenpolitik 1871–1918 / Klaus Hildebrand
Die Außenpolitik der Weimarer Republik / Franz Knipping
Die Außenpolitik des Dritten Reiches / Marie-Luise Recker
Die Außenpolitik der Bundesrepublik Deutschland / Gregor Schöllgen
Die Außenpolitik der Deutschen Demokratischen Republik / Alexander Fischer

(Stand: Oktober 1991)

[illegible]

[illegible] / [illegible]

[illegible]

[illegible] [illegible] [illegible]